Indices secrets

FIONA KELLY

Mystery Club :	
Indices secrets	*J'ai lu* 4523/2
Un témoin trop gênant	*J'ai lu* 4531/2
L'île interdite	*J'ai lu* 4535/2
Minuit, l'heure du crime	*J'ai lu* 4623/2 *(oct. 97)*
Jeux dangereux	*J'ai lu* 4672/2 *(déc. 97)*

Fiona Kelly

Mystery Club

Indices secrets

Traduit de l'anglais
par Marie-Jo Levadoux

Éditions J'ai lu

Titre original :
MYSTERY CLUB - SECRET CLUES
First published by Knight Books

1

Amis et ennemis

— Jamie, si tu n'es pas de retour dans dix minutes, je te jure que je m'en vais sans toi.

Holly Adams alla s'asseoir dans le jardin du presbytère et regarda son jeune frère s'engouffrer dans la boutique de jeux vidéo.

Ils avaient décidé d'aller découvrir leur nouveau cadre de vie. Alors que Holly essayait réellement de visiter ce village si pittoresque, Jamie semblait plutôt chercher les moyens les plus rapides pour dépenser son argent de poche.

De quatre ans son aînée, la jeune fille songeait avec tendresse que *tous les gamins de onze ans devaient être comme lui* ! Ses magnifiques yeux verts pétillants d'intelligence se posèrent, appréciateurs, sur le paysage environnant.

Dans son dos, la silhouette élancée de la vieille église se découpait sur un ciel d'azur. Les rayons du soleil mettaient en relief les magnifiques massifs de rhododendrons.

Quel *endroit superbe* ! se dit Holly. Quel calme !

Machinalement, elle caressa l'une de ses longues boucles de cheveux bruns et la rejeta derrière son oreille.

La famille Adams n'habitait Willow Dale — petite bourgade du Yorkshire — que depuis une semaine, mais Holly, curieuse de nature, voulait s'imprégner immédiatement de l'atmosphère. Elle était déterminée à découvrir le maximum de choses en un minimum de temps. Après tout, ce village niché dans un écrin de collines verdoyantes allait devenir son nouveau « Home, Sweet Home » et la jeune fille était bien décidée à en visiter les moindres recoins.

Quelques mètres la séparaient d'une petite rue bordée de saules qui faisait le tour de l'église avant de s'enfoncer dans un sous-bois.

C'est de là que, hors de sa vue mais à portée d'oreille, elle surprit cette bien étrange conversation...

— Maintenant que je suis de retour, Harry, dit une voix masculine, on a un petit travail à terminer, toi et moi. Je n'ai pas vendu la mèche jusqu'à présent parce que tu m'avais promis que j'aurais ma part du butin à ma sortie. Eh bien, me voilà ! Je veux mon fric, et tout de suite.

— Tu vas l'avoir, Barney, répliqua une autre voix, plus dure, plus métallique. Ne t'inquiète pas ! Il y a un petit gars qui me doit de l'argent. Tu n'as qu'à aller le lui demander de ma part. Il te le donnera sans problème.

Puis, l'homme émit un ricanement.

— A mon avis, ajouta-t-il, tu n'auras pas trop de mal à récupérer ton pognon. Le gamin a un peu perdu les pédales.

— Il vaudrait mieux pour toi que ce soit vrai, reprit son interlocuteur, menaçant. Parce que sinon... je reviendrai te voir et, cette fois, ce ne sera pas pour faire la causette. Tu piges ?

— Fais-moi confiance, Barney. Mets la pression sur le gosse et il paiera. C'est du tout cuit !

Le Barney en question eut un rire un peu rauque.

— Je ne m'en fais pas, Harry.

Holly jeta un rapide coup d'œil dans leur direction et aperçut un homme mince qui s'éloignait à grands pas. Il portait un vieux blouson de cuir fatigué, avec un aigle sur le dos.

La jeune fille ne put réprimer un frisson.

Willow Dale n'était pas aussi paisible qu'elle se l'était imaginé !

Le deuxième homme, un costaud du genre armoire à

glace en costume trois-pièces, émergea à son tour du chemin. Des cheveux noirs brillantinés encadraient un visage dur dont la lèvre supérieure était ornée d'une petite moustache. Il ajustait sa cravate et s'apprêtait à s'élancer dans la direction opposée, lorsqu'il remarqua Holly.

Ses yeux s'étrécirent. La jeune fille détourna rapidement le regard.

Elle sentit l'inconnu la sonder quelques instants puis entendit un crissement de gravier. Enfin, il s'éloignait.

Holly aurait préféré ne pas surprendre cette conversation. Il y avait quelque chose de malsain dans le ton de leurs voix. Subitement, le jardin lui parut très inhospitalier. Elle se leva d'un bond et partit à la recherche de son petit frère.

Ce dernier était tellement absorbé par un jeu vidéo que la jeune fille dut littéralement le tirer hors de la boutique.

— Ils ont les tout derniers trucs sortis sur le marché, commenta l'enfant, alors qu'ils poursuivaient leur balade.

— N'est-ce pas ce que papa t'avait dit ?

Jamie haussa les épaules.

— Oui, c'est vrai.

Il jeta un coup d'œil autour de lui.

— J'ai faim, décréta-t-il. Allons manger quelque chose.

Ils dénichèrent un petit bar à hamburgers ; le reste de Willow Dale allait devoir attendre un peu. Après tout, ils avaient tout leur temps pour explorer la ville.

Holly était suspendue aux lèvres du professeur d'arts plastiques qui allait et venait devant le tableau en leur expliquant le thème de leur prochain sujet d'étude : la peinture à l'huile. C'était le premier cours qu'elle suivait dans ce nouvel établissement et elle voulait faire bonne impression.

— Les locaux de notre lycée possèdent bon nombre de tableaux très anciens, dit M. Barnard. Je vous conseille vivement de consacrer un peu de temps à les étudier.

— Allons-nous utiliser la peinture à l'huile ? questionna l'un des garçons du premier rang.

— Pas à ma connaissance. A moins que nous n'ayons subitement un gigantesque budget à y consacrer.

Leur professeur arborait un sourire bienveillant que Holly commençait à beaucoup aimer.

— Les huiles coûtent une petite fortune! ajouta-t-il. J'ai bien peur que vous ne deviez vous contenter de gouache.

— Nous pourrions peut-être utiliser l'argent qu'il restera de la collecte pour la nouvelle salle de gymnastique, suggéra un élève.

M. Barnard se mit à rire.

— A votre place, je n'y croirais pas trop, Andy. A la vitesse où notre projet progresse, nous n'aurons pas de gymnase avant une bonne vingtaine d'années! Quant à récolter trop d'argent...

La sonnerie annonça la fin de la leçon. Les élèves se levèrent dans un joyeux concert de raclements des chaises.

— Comme prochain devoir, je veux que chacun d'entre vous choisisse l'un des tableaux du lycée, cria M. Barnard, par-dessus le brouhaha. Et me fasse un exposé de trois cents mots, en m'expliquant pourquoi vous l'aimez. D'accord? Bon. Vous pouvez sortir.

Tandis que ses camarades se ruaient hors de la salle, Holly traîna un peu, rangeant calmement ses cahiers.

— Vous êtes Holly Adams, n'est-ce pas? dit M. Barnard. Comment se passe votre intégration?

— Très bien, monsieur.

Ce n'était pas tout à fait vrai. Changer de lycée en plein milieu de trimestre s'avérait une tâche difficile pour la jeune fille. Les groupes s'étaient déjà formés par affinités et elle se sentait un peu délaissée.

— Je me demandais simplement quel tableau vous aimeriez nous voir étudier, continua-t-elle.

— Celui que vous voudrez. Comme je vous l'ai dit, il y en a beaucoup, disséminés un peu partout dans les divers bâtiments. Certains sont très anciens. Choisissez-en un, étudiez-le bien, et il vous racontera l'histoire des lieux mieux que personne.

Le professeur marqua une pause.

— Vous vous sentirez alors plus rapidement chez vous, ajouta-t-il en souriant.

Dès la première pause de la matinée, Holly fila à la bibliothèque.

Le lycée Winifred Bowen-Davies, large édifice de style victorien, en pierre de taille grise, était situé au cœur même de la vieille ville — la partie de Willow Dale dont Holly était tombée amoureuse au premier regard : rues étroites bordées d'échoppes qui ne semblaient pas avoir subi les assauts du temps et petits chemins de traverse menant à des cottages endormis et à d'étranges maisons biscornues. La jeune fille rêvait de visiter ces endroits au parfum de mystère, avec ou sans Jamie.

Hélas, Willow Dale n'était plus intact. Au fil des années, le village s'était développé et ses faubourgs s'enorgueillissaient à présent de bâtiments modernes, d'immenses centres commerciaux, d'un cinéma multisalles et d'une patinoire.

A l'entrée de la bibliothèque, un jeune garçon s'était planté devant le tableau d'affichage et parcourait du doigt la composition de l'équipe de football.

— Génial ! s'exclama-t-il. Je suis sélectionné.

Il se retourna vers Holly, l'œil interrogateur.

— Je cherche Stéphanie Smith, l'éditrice du magazine, dit-elle. On m'a dit que je la trouverais sûrement ici.

— Steffie ?

Il agita le bras vers le fond de la bibliothèque.

— Elle doit se cacher par là-bas dans le fond, je suppose.

— Merci.

Holly se faufila entre les hautes rangées de livres. Effectivement, tout au fond, une jeune fille blonde aux cheveux courts était assise, les yeux rivés sur l'écran d'un ordinateur. La table débordait de petits bouts de papier griffonnés.

— Excuse-moi, dit Holly.

— Attends ! coupa l'autre. Tu ne vois pas que je suis occupée ?

— Désolée.

La frappe frénétique se poursuivit encore pendant quelques minutes et Holly en profita pour jeter un coup d'œil sur l'endroit.

La bibliothèque semblait bien fournie. Peut-être y trouverait-elle des romans policiers — sa grande passion! Lorsqu'ils avaient déménagé, elle avait rempli une malle entière uniquement avec sa collection de livres.

— Oui? s'enquit finalement Steffie, en levant la tête.

Holly n'avait jamais vu des yeux d'un bleu aussi pâle, presque délavé. Hélas, ils étaient également perçants et glacés, et jaugeaient Holly sans aménité.

— J'aimerais écrire pour le magazine, dit-elle. Je publiais régulièrement dans le journal de mon ancien lycée à Highgate — à Londres.

Steffie s'appuya au dossier de sa chaise.

— Alors, tu arrives de Londres? dit-elle, méprisante. Je suppose que tu es venue ici dans l'idée d'améliorer plein de choses.

— Mais pas du tout! fit Holly, surprise par la remarque. J'ai juste envie d'aider.

— Je ne crois pas que l'on ait besoin d'un autre éditeur. Je me suis occupée du journal pendant deux trimestres et je commence tout juste à l'avoir bien en main... à ma manière.

Holly se retint de faire un commentaire. Elle avait lu la dernière parution et avait relevé, ici et là, bon nombre de petits détails qui pouvaient effectivement être améliorés. Le titre, par exemple : *Winformation*. Pas vraiment original! Mais le moment était mal choisi pour en faire la remarque.

— Je me fiche de ce que tu me donneras, reprit-elle. Une chronique, un reportage... Tout ce que tu voudras.

— Il y a un match de hockey mercredi. Tu pourrais faire un papier là-dessus, si tu veux.

— Vendu.

— Il me le faudra jeudi matin à la première heure, dit encore Steffie. Et si c'est mauvais, il ne sera pas publié. Pigé? C'est moi qui donne le feu vert pour tout ce que l'on imprime dans le magazine.

— Cela me va, répondit Holly, conciliante... mais bouillant de rage intérieurement. Il sera bon, ne t'inquiète pas.

Steffie se remit à taper sur son clavier.

— C'est moi qui en déciderai.

Mince! maugréa Holly en s'éloignant, laissant la susceptible jeune fille à son travail. Je ne crois pas que je vais beaucoup aimer travailler avec elle.

Elle avait donné rendez-vous à Jamie devant les grilles d'entrée. Il s'y trouvait déjà, entouré d'une bande de copains, plongé dans une conversation animée.

Elle attendit un bon moment qu'il la remarque. En vain... ils parlaient jeux vidéo.

— Est-ce que tu viens, Jamie?

— Plus tard, dit-il distraitement.

Holly rentra seule, songeant que, malgré les nombreuses protestations de son frère quant à leur déménagement, ce dernier n'avait pas mis longtemps à se faire de nouveaux amis. Il n'en était pas de même pour elle!

La famille Adams avait emménagé dans un petit cottage de quatre pièces, juste en bordure de la vieille ville. L'agent immobilier avait décrit l'endroit comme « riche de potentiels ». En attendant, pour qu'ils puissent y vivre confortablement, toute l'installation électrique de la maison devait être refaite et la décoration intérieure avait besoin qu'on s'en occupe sérieusement.

Deux ouvriers creusaient une tranchée le long de l'allée qui menait à leur perron. Debout sur le seuil, son père les regardait.

— A cette vitesse-là, on va traîner de la boue dans la maison pendant des mois! annonça-t-il, bougon. Heureusement que l'on n'a pas encore mis de moquette dans l'entrée. Où est Jamie?

— Je l'ai laissé à bavarder avec quelques copains.

— Quoi? Tu vois, je lui avais bien dit qu'il ne lui faudrait pas plus de cinq minutes pour se faire de nouveaux amis.

Puis, se penchant vers sa fille, il ajouta d'un ton mystérieux :

— Viens voir quelque chose.

Il l'emmena vers la tonnelle du jardin et lui montra l'établi qu'il venait tout juste de terminer d'installer ; ses outils de menuisier étaient soigneusement alignés sur de nouvelles étagères, ou suspendus au mur par des crochets.

— Qu'en penses-tu ? Je vais bientôt pouvoir me mettre au travail. C'est excitant, n'est-ce pas ?

Il se frottait les mains de plaisir tel un gosse devant un nouveau jouet.

Holly éclata de rire. Elle adorait voir son père heureux. Finis les retours tardifs à la maison ; finies les longues journées épuisantes au bureau ou au tribunal ! M. Adams était un avocat fort connu et très apprécié, mais il était également dévoré par la passion du travail manuel. A Londres, la menuiserie n'avait été pour lui qu'un passe-temps ; leur déménagement à Willow Dale lui avait donné l'opportunité de se consacrer à son hobby.

Holly entra dans la maison par la porte de derrière et monta directement dans sa chambre.

— Nous commencerons par aménager les chambres, avait dit sa mère, pour que chacun ait au moins un endroit à soi, où se retrancher du chaos.

Sitôt terminés, les murs de celle de la jeune fille s'étaient retrouvés couverts de ses posters et photos préférés ; ses livres s'alignaient maintenant sur des étagères de bois blanc. Ils étaient tous là. Dans leur autre maison, sa chambre était tellement exiguë que la plupart de ses chers bouquins devaient dormir dans des cartons, sous le lit. Maintenant, toute sa collection était exposée sur les rayonnages.

Au cours du dîner, elle raconta à ses parents sa rencontre avec Steffie Smith.

— J'ai bien l'impression, dit sa mère, que cette jeune personne n'est pas très sûre d'elle.

— C'est aussi mon avis. De plus, le magazine du lycée

n'est pas très folichon. J'ai déjà repéré plusieurs choses que je changerais immédiatement si j'en étais l'éditrice.
— J'espère que tu ne le lui as pas dit, intervint son père.
— Bien sûr que non ! Je suis restée très polie. Mais c'est dommage. Autant c'était amusant de travailler avec Miranda, à Londres, autant j'ai un mauvais pressentiment quant à mes rapports avec Steffie.
Holly soupira.
— Et me faire de nouvelles copines n'est pas aussi facile que je le croyais, ajouta-t-elle.
Miranda Hunt avait été sa meilleure amie, à Highgate. Ensemble, elles avaient hanté les librairies et les bibliothèques, à la recherche de leurs romans policiers favoris. Elles s'étaient promis de s'écrire régulièrement et son amie lui avait même remis sa première lettre, la veille de son départ.
— Ce sera quelque chose à lire en cours de route, avait-elle dit.
Holly avait ri tout au long de sa lecture. C'était comme si son amie avait fait le voyage avec elle.
— Puis-je sortir de table ? demanda Jamie. Je suis invité chez Philip pour jouer au Devil Riders sur sa console.
— Est-ce que cela ne dérange pas ses parents ? s'enquit Mme Adams.
— Bien sûr que non ! Il invite tout le temps des copains chez lui. A tout à l'heure.
Le jeune garçon était déjà dehors.
— Ne rentre pas trop tard, cria son père.

Holly poussa un soupir.
— Personne ne m'a encore invitée à venir jouer sur sa console, dit-elle.
— Mais tu n'aimes pas cela, remarqua son père, surpris.
— C'est juste une manière de parler.
— As-tu du mal à te faire de nouvelles amies ? demanda gentiment sa mère. Je comprends ce que tu ressens. Ce n'est pas facile pour moi non plus de trouver mes marques dans cette nouvelle banque. Tout le monde croit que j'arrive de Londres avec une seule idée en tête : tout changer.

— Mais tu voulais diriger ta propre succursale, intervint son mari. Voilà cinq ans que tu t'échines pour cette promotion.

— Je sais. Et je ne me plains pas. Je dis simplement à Holly que je comprends ce qu'elle ressent.

— Pourquoi ne cherches-tu pas s'il y a un club auquel tu aimerais t'inscrire ? suggéra M. Adams. Cela a toujours été une bonne entrée en matière pour se faire des amis.

— C'est une idée, répondit Holly. Je pourrais même fonder mon propre club. Un club pour les fous de romans policiers. Avec Miranda, on s'est promis de s'envoyer des livres avec nos lettres, mais ce n'est pas pareil que d'en discuter de vive voix.

— Je pense que tu tiens ta solution, dit son père. Monte donc ton propre club.

La première chose que Holly avait faite, en arrivant à Willow Dale, avait été de sortir s'acheter un calepin. Elle adorait tenir un journal, écrire ses moindres pensées ou les événements de la journée.

Plus tard ce soir-là, lorsqu'elle se fut retirée dans sa chambre, elle ouvrit le petit agenda rouge et s'installa à son bureau.

Je pourrais faire passer une annonce dans le magazine du lycée, songea-t-elle. C'était sans doute le meilleur moyen de découvrir des personnes intéressées.

Elle fit une première ébauche de l'annonce qu'elle voulait passer :

Aimez-vous le mystère ? Aimez-vous les romans policiers ? Si oui, rejoignez le Mystery Club. Plaisir garanti, discussions, échanges de livres et création d'énigmes. Pour en savoir plus, contactez Holly Adams, classe de 4e B — vendredi à l'heure du déjeuner.

Cela devrait suffire, se dit la jeune fille. Moi, si je voyais une telle annonce, j'y répondrais sans hésitation.

Elle jeta un coup d'œil vers les grands arbres de leur jardin. Au loin, les collines du Yorkshire étaient noyées dans un manteau de brume.

Elle referma le petit carnet. Qui viendra ? se demanda-t-elle. J'espère qu'ils seront plus sympathiques que Steffie Smith !

2

L'annonce

Comme prévu, le *Winformation* parut le vendredi matin. Holly le parcourut de la première à la dernière page, impatiente de savoir si Steffie avait bien inclus son annonce.

Elle l'avait fait. En quelque sorte...

Parce que, de sa prose, il ne restait plus que : « Le Mystery Club — Classe de 4e B — vendredi — heure du déjeuner. » Point final ! Et pour couronner le tout, elle était prise en sandwich entre une promotion pour une paire de chaussures de football et un entrefilet sur la prochaine vente de charité au profit du nouveau gymnase.

Holly était furieuse. Qui allait vouloir répondre à une annonce aussi vague ?

Quelque peu découragée, elle feuilleta le journal, à la recherche, cette fois, de son article sur le match de hockey. Elle y avait beaucoup bossé, y passant même presque une partie de la nuit de mercredi à jeudi, tant elle voulait en faire un petit bijou que Steffie ne pourrait pas refuser.

Holly était très fière de son style — elle rêvait de faire carrière dans le journalisme. D'avance, elle savait qu'elle adorerait ce job et imaginait déjà sa vie, enquêtant sur des crimes ou des meurtres horribles et compliqués. Cela la passionnait !

Lorsqu'elle le découvrit enfin, elle eut le choc de sa vie. Il était massacré ! On aurait dit que Steffie l'avait tailladé avec un couteau de boucher. Non seulement il était réduit de moitié, mais certains passages avaient été rectifiés. Plus rien à voir avec ce qu'elle avait pondu à l'origine!

A la pause, Holly se rua à la bibliothèque, déterminée à mettre les points sur les *i* avec Miss Smith. Mais le bureau était vide...

Ah! Tu te caches, ma belle! Mais cela ne servira pas à grand-chose, se dit la jeune fille. Je te retrouverai tôt ou tard, et alors... ce sera ta fête!

En attendant, elle devait choisir un tableau sur lequel faire l'exposé que M. Barnard leur avait demandé.

Elle se dirigea vers le bâtiment principal. Un escalier majestueux et d'impressionnantes doubles portes s'ouvraient sur un hall gigantesque. Ce dernier était doté de nombreuses vitrines exposant des médailles, des coupes et des rubans. Quelques chaises s'alignaient le long des murs, à la disposition des visiteurs. Des tableaux, lourdement encadrés, occupaient chaque centimètre carré des murs, de la porte d'entrée à celle des jardins.

La plupart célébraient la beauté fascinante de la campagne du Yorkshire : les collines escarpées, les vallées encaissées où des torrents bondissaient dans des gorges profondes, le ciel parfois lourd de nuages noirs qui surplombaient de minuscules cottages.

C'était une région pleine de mystères pour Holly, tellement différente des rues surpeuplées et du vacarme généré par l'activité fébrile des quartiers d'affaires londoniens. Pourtant elle avait aimé y vivre. Ayant grandi au cœur de la capitale, elle s'était habituée à ce rythme. Curieusement, Willow Dale la faisait se sentir à la fois chez elle et en vacances.

Tout ce dont elle avait besoin, c'était de se faire de nouvelles amies, et son bonheur serait complet.

Une première série de portraits mettait à l'honneur chacune des personnes qui, au fil des ans, avait participé à la création et à la bonne marche du lycée. Holly se planta devant le plus grand. C'était celui de Winifred Bowen-Davies — la fondatrice. Elle était vêtue d'une austère robe noire à col droit, dont la seule fantaisie était une espèce de broderie blanche sur le corsage. Elle trônait sur une imposante chaise de bois sculptée. Les yeux perçants, qui illuminaient un visage fier, intelligent et despotique, semblaient regarder la jeune fille avec désapprobation. Les cheveux gris, soigneusement tirés en arrière, ajoutaient encore une touche de sévérité au tableau.

Holly était heureuse que l'actuelle directrice, Mlle Horswell, soit plus sympathique, plus enjouée.

Néanmoins, il y avait quelque chose qu'elle aimait dans l'expression de Winifred. Cette dernière donnait l'impression d'être quelqu'un sur qui l'on pouvait compter.

Sa décision était prise. Le sujet de sa rédaction serait le portrait de Winifred Bowen-Davies. Et il serait même très intéressant d'essayer d'en savoir plus sur la vie de cette femme. Un portrait prenait toujours un sens nouveau lorsque l'on connaissait la personne représentée.

Le jour de son entretien avec Mlle Horswell, celle-ci lui avait remis un fascicule sur le lycée. Elle ne l'avait pas encore lu. A l'époque, elle n'en avait pas envie, mais maintenant, oui. Elle y consacrerait quelques minutes à la pause de midi tout en attendant les futures adhérentes de son Mystery Club.

L'heure du déjeuner trouva Holly assise, seule dans la salle de cours, espérant anxieusement que quelqu'un arriverait en réponse à son annonce. Elle en profita pour se plonger dans la lecture de la brochure.

A part le fait que le lycée avait été créé en 1860, il n'y avait pas grand-chose. En tout cas, rien sur l'énigmatique Winifred Bowen-Davies.

Peut-être qu'elle a un passé mystérieux! songea Holly. L'absence d'informations avait aiguisé sa curiosité.

Elle regarda l'horloge. Le temps s'égrenait inéluctablement. Dix minutes auparavant, un visage masculin s'était montré à la porte, la faisant bondir sur ses pieds, mais, avant qu'elle ait pu dire quoi que ce soit, il avait disparu.

Chaque fois qu'elle entendait des pas dans le couloir, son cœur faisait des bonds. Il devait forcément y avoir quelqu'un d'intéressé !

Elle commençait à avoir de sérieux doutes sur l'avenir de son Mystery Club. Elle relut la lettre de Miranda pour se redonner du courage.

Avec un soupir, elle la remit dans sa poche, se demandant si cela valait la peine d'attendre plus, seule dans cette grande salle vide.

Encore cinq minutes, décida-t-elle, puis je m'en vais.

Il semblait de plus en plus probable que le nombre des membres du Mystery Club n'allait pas excéder le chiffre un.

— Bonjour ! Je suis bien au Mystery Club ?

Une souriante jeune fille se tenait dans l'embrasure de la porte. Blonde, les cheveux courts, elle avait un joli visage mutin. Le manche d'une raquette de tennis dépassait d'un sac de sport jeté sur son épaule.

— Oui, répondit Holly. Enfin, si quelqu'un veut bien en faire partie !

— Super ! reprit la jeune fille, entrant franchement dans la pièce. Je m'appelle Tracy Foster. Vous êtes nouvelle, ici, n'est-ce pas ?

Sa voix était mélodieuse, avec un léger accent qui n'avait rien de britannique mais que Holly n'arrivait pas à définir.

— C'est exact. Je m'appelle Holly Adams.

— Bonjour, Holly.

Tracy lança son sac sur une chaise et posa une fesse sur un bureau.

— Alors ? reprit-elle. Qu'est-ce qu'on fait ? Qui s'occupe de ce club ?

— Moi.

— Très bien ! C'est donc toi qui as mis la pub dans le

magazine? répliqua-t-elle, avec un immense sourire. C'était plutôt laconique comme annonce : Le Mystery Club. Le nom est super ! Alors de quel mystère s'agit-il ?

— J'ai pensé que ce serait sympa de rassembler les gens attirés par les romans policiers ou les mystères en général, reprit Holly. Est-ce que tu en lis beaucoup ?

— Tout le temps, répliqua joyeusement Tracy. Mais je fais aussi des tas d'autres choses. Je suis membre de presque tous les clubs du lycée. Je devrais être au tennis en ce moment, mais la partie a été annulée. Alors, tu aimes les polars ?

Holly hocha la tête. Cette fille lui était déjà très sympathique.

— Ce sont mes préférés.

D'un seul coup, elle devina d'où venait l'accent de son interlocutrice.

— Tu es américaine ?

— A moitié, du côté de mon père. Ma mère est anglaise. Est-ce que mon accent est si prononcé ? Je croyais m'en être débarrassée. Je vis quand même ici depuis trois ans.

Elle haussa les épaules et regarda par la fenêtre.

— En fait, j'habite ici depuis que mes parents ont divorcé, poursuivit-elle. Maman s'occupe d'une crèche. La Californie me manque, et surtout mon père. Mais parfois, tu n'as pas le choix, tu dois suivre le mouvement. Tu vois ce que je veux dire, Holly ? Il faut tirer le meilleur parti de chaque chose.

Holly hocha de nouveau la tête.

— Je comprends. Je viens juste de déménager de Londres. Je pensais que le Mystery Club serait un bon moyen pour me faire de nouvelles amies.

— C'est gagné ! s'exclama Tracy en ouvrant les bras. Tu m'as trouvée.

Holly se mit à rire.

— Es-tu vraiment intéressée ?

— Où dois-je signer ?

— Peut-être devrions-nous nous appeler plutôt le Duo Mystérieux, dit-elle.

Tracy fit un grand geste.

— Je vois le titre d'ici. Tracy Foster et Holly Adams. Mystères, nous voici !

Elle adressa un sourire rayonnant à Holly.

— Qu'en dis-tu ?

— Le plus grand mystère que je connaisse, lança à cet instant une voix, depuis la porte, c'est pourquoi le salon de thé du bout de la rue est toujours à court de glace au chocolat.

Les deux jeunes filles se retournèrent vivement. Un visage rond, encadré de cheveux bruns du genre peignés avec un pétard, les regardait depuis la porte. La nouvelle venue clignait des yeux derrière de grandes lunettes à monture d'acier.

— J'ai besoin de m'inscrire à un club, dit-elle en avançant d'un pas tranquille. Ma mère dit que je passe trop de temps seule et que je deviens asociale. Alors me voilà. Qu'est-ce qui se passe ici ?

— Tu es Belinda Hayes, n'est-ce pas ? lança Tracy.

— Exact ! Et toi, Tracy Foster. Je vois sans arrêt ton nom sur les listes des compétitions sportives.

Belinda regarda curieusement Holly.

— Dites, ce n'est pas un autre club de sport ? demanda-t-elle, inquiète. Aurais-je fait cette terrible erreur ?

— Pas du tout, dit Holly en se présentant.

— Dieu soit loué ! Je veux bien faire plaisir à ma mère de temps en temps, mais pas au point de faire des bonds sur un court de tennis. Il y a des limites à tout. Je fais assez d'exercice comme cela en m'occupant de Jolly Jumper.

Un grand sourire éclaira son visage.

— C'est mon cheval. C'est un nom super, n'est-ce pas ?

— Tu as un cheval ? s'exclama Holly.

Belinda hocha la tête.

— C'est avec lui que je brûle toute mon énergie. Debout à l'aube, chaque matin. Je suis sûre que ma mère croit que les chevaux sont autonettoyants... à la façon dont elle me traite de paresseuse. Parce qu'elle vit à deux cents à l'heure, elle pense que tout le monde devrait en faire autant.

Elle regarda les deux amies l'une après l'autre, en clignant des yeux.

— Alors ? demanda-t-elle. Dites-moi tout. Qu'est-ce exactement qu'un Mystery Club ?

— Pas *un* Mystery Club, dit Tracy. *Le* Mystery Club. Tu le découvriras si tu te joins à nous.

— J'ai pensé que nous pourrions parler de romans policiers, annonça Holly. Échanger des livres, des trucs comme cela. J'ai quelques bons romans à la maison que je veux bien prêter.

— Alors l'idée est de s'asseoir, de lire des bouquins et de bavarder ?

— Plus ou moins.

Le visage de Belinda s'illumina.

— Je crois que je pourrai survivre, dit-elle en se levant. Cela me donne faim de m'inscrire à des clubs. Est-ce qu'une petite balade au bout de la rue vous tente ? Jusqu'au salon de thé, par exemple ? On a encore une demi-heure à tuer avant le début des cours.

— Ont-ils de la glace à la banane ? demanda Holly.

— Certainement. Avec des pistaches, de l'ananas, des noisettes, des cerneaux de noix et du sirop de framboise. Ils ont aussi le plus incroyable chocolat liégeois que tu aies jamais goûté.

— Avec de la crème fraîche dessus, ajouta Tracy.

Une lueur d'envie s'alluma dans les yeux de Holly.

— On y va, décida-t-elle. Je ne savais pas ce que j'étais en train de rater.

— Tu ne veux pas attendre encore un peu ? demanda Tracy. D'autres gens vont peut-être venir pour le club.

— Nous *sommes* le club, dit Belinda. De qui d'autre pourrions-nous avoir besoin ? Sachez que les meilleures choses viennent par trois. Allons-y.

Tracy attrapa son sac et leur emboîta le pas.

— Nous pourrons commencer à dresser une liste

d'idées devant notre dessert, dit-elle. La dernière arrivée paie la note.

Les trois jeunes filles se ruèrent hors de la salle. Holly était heureuse. Elles allaient être de bonnes amies.

Son annonce dans le magazine avait porté ses fruits !

3

Les archives

— Je n'arrive pas à croire que tu possèdes autant de livres, s'exclama Belinda. Mais quand trouves-tu le temps de tous les lire ?

— Je dévore, admit Holly. Il faut dire que je suis complètement accro à tout ce qui touche aux mystères.

Belinda hocha la tête.

— C'est le moins qu'on puisse dire ! Moi, en général, j'attends qu'ils soient adaptés pour la télé.

Les trois amies s'étaient retrouvées dans la chambre de Holly. C'était un samedi après-midi. Le Mystery Club se réunissait officiellement pour la première fois.

— Est-ce que quelqu'un a déjà réfléchi à ce que nous allions faire ? reprit la jeune fille.

— J'ai une idée, dit Tracy. Nous pourrions créer notre propre jeu Mystery.

— Génial ! s'exclama Holly. Quelle bonne idée ! Qu'en penses-tu, Belinda ?

— Super ! Je peux sortir tous les trucs dont nous aurons besoin sur l'ordinateur de mon père, dit-elle, excitée. Des cartes d'indices et des cartes de suspects, et le jeu aurait des cases pièges comme : si on tombe dans une vieille mine désaffectée, seul un six pourra nous en sortir.

— Et une case juste avant la fin qui nous renverrait au point de départ, fit Holly.

Elle ouvrit son agenda pour noter leurs idées. Les trois filles, surexcitées par leur projet, passèrent l'après-midi à hurler et à rire. Elles inventèrent des indices diaboliquement compliqués pour de périlleuses aventures.

Un peu plus tard, la mère de Holly leur monta des sandwiches et du jus d'orange.

— J'ai pensé que vous deviez avoir un petit creux, dit-elle. A vous entendre, j'ai l'impression que vous avez dépensé beaucoup d'énergie.

— Merci, dit Belinda en se précipitant sur un petit pain. Je mourais de faim. Ma matière grise a un constant besoin de munitions. Ce n'est pas facile d'être géniale tout le temps.

— As-tu parlé de Winifred Bowen-Davies à Belinda et à Tracy ? s'enquit Mme Adams.

— Oh ! Non. J'avais complètement oublié.

Lorsqu'elles se retrouvèrent à nouveau seules, Tracy lui demanda :

— Que veux-tu savoir ?

Holly leur parla du devoir que leur avait donné M. Barnard.

— Je ne trouve aucun renseignement sur Winifred, dans les archives du lycée, avoua-t-elle. Est-ce que l'une d'entre vous connaîtrait sa vie, par hasard ?

— Tout ce que je sais, c'est qu'elle est morte, fit Belinda.

— Vraiment ? coupa Tracy, un peu sèchement. J'ignorais qu'elle avait été malade !

— J'aimerais en savoir plus sur elle, reprit Holly. Surtout si son passé est mystérieux. Ensuite, je pourrai écrire un article pour le magazine du lycée.

— Il faudrait encore que Steffie l'accepte, lança Tracy. Elle n'est jamais très enthousiaste à l'idée que d'autres puissent écrire pour le journal. A l'entendre, on dirait qu'il lui appartient.

— Je pondrai un papier formidable. Mais d'abord, j'ai besoin de plus d'éléments sur Winifred Bowen-Davies.

— Tu pourrais demander à Mlle Horswell, suggéra Tracy. Si quelqu'un sait quelque chose, ce sera sûrement elle.

Holly songeait qu'elle avait fait bonne impression lors de sa première rencontre avec la directrice, surtout lorsqu'elle avait mentionné son désir de devenir journaliste.

— J'aime les jeunes filles qui ont de l'ambition, avait-elle dit. Venez me voir si vous avez besoin d'aide. Ma porte sera toujours ouverte.

Mme Williams, la secrétaire de l'établissement, travaillait dans une pièce qui donnait directement sur le bureau de la directrice. Dès le lundi matin, Holly s'y installa et attendit que Mlle Horswell soit prête à la recevoir.

Cette dernière l'accueillit avec un chaleureux sourire.

— Holly ! Entrez. Que puis-je faire pour vous ? Pas de problèmes, j'espère ?

— Non, non, pas du tout. Je dois faire un exposé sur le portrait de Winifred Bowen-Davies qui se trouve dans le hall, et je me demandais si vous pourriez me parler d'elle. Je ne trouve aucune information la concernant.

— Quelle excellente idée ! Mais je ne suis pas sûre que je doive vous dire quoi que ce soit. Pourquoi ne faites-vous pas votre propre enquête ?

— J'ai déjà fouillé la bibliothèque, répondit la jeune fille, mais sans succès.

— Tous les documents qui concernent le lycée sont gardés dans une pièce au sous-sol. Certains datent du siècle dernier. Demandez les clés à Mme Williams et allez voir. Vous devriez y trouver des choses intéressantes. Je ne crois pas que quiconque y ait mis les pieds depuis des années. En tout cas, moi, je n'y suis jamais descendue.

Holly partit rejoindre Tracy et Belinda, faisant tinter le large trousseau de clés qu'elle avait en main. Ses deux amies adorèrent l'idée d'un déjeuner chasse au trésor dans les archives.

— Je vais même sécher mon cours de danse, dit Tracy. Que penses-tu de mon dévouement ?

— Moi aussi, renchérit Belinda.

— Tu ne prends même pas de cours ! Du moins, je ne t'y ai jamais vue.

La jeune fille haussa les épaules.

— Oui, mais si j'en avais pris, je l'aurais séché sans hésiter, répliqua-t-elle. Par contre, avant notre expédition, il faut que je mange.

La pièce était déserte et désolée, preuve que personne n'y avait pénétré depuis fort longtemps.

Lorsque Holly ouvrit la porte, une odeur de poussière et de vieux papiers humides les prit à la gorge. La moitié de la salle était garnie de rayonnages sur lesquels s'empilaient de vieux dossiers à reliure de cuir noir. Des boîtes débordantes de papiers, de dossiers et d'anciens livres de cours occupaient le reste de l'espace.

— Wouah ! s'écria Tracy. Quelle saleté ! On va être dégoûtantes en moins de deux minutes.

— C'est pour la bonne cause, répliqua Holly. C'est notre premier vrai mystère : l'incroyable secret de Winifred Bowen-Davies !

— Regardez ça ! fit Belinda en époussetant le dessus d'une grosse boîte. Regardez la date : 1912. Même ma mère n'était pas encore née !

— Celle-ci est encore plus ancienne, annonça Tracy. 1891 !

La jeune fille tenta de la soulever et manqua s'écrouler sous son poids.

Les vieux livres étaient fascinants à feuilleter. Chacune des filles passa la demi-heure suivante à parcourir méthodiquement les pages jaunies et écornées.

D'un seul coup, Holly referma celui qu'elle avait en main et se mit à farfouiller dans les boîtes posées à même le sol.

— Cela ne nous en apprend pas plus sur Winifred, dit-elle. Je commence à me demander si nous allons trouver quoi que ce soit d'utile dans tout ce fatras.

— J'en doute, renchérit Belinda. Il y a trop de choses.

Elle écarta une mèche rebelle sur son front, d'une main repoussante de saleté.

Tracy, qui fouillait dans l'une de ces grandes boîtes, mit au jour plusieurs clichés en noir et blanc de collégiennes guindées dans des uniformes sévères.

— Vous avez vu leurs chapeaux ! s'exclama-t-elle. Et regardez les professeurs ! Ils portent tous des robes. Est-ce que vous imaginez les nôtres avec ça sur le dos ? Ils auraient l'air de chauves-souris cinglées.

— Il y a des photos encadrées par ici, dit Holly. Elles sont coincées par les boîtes, contre le mur.

Elle essayait d'en sortir une mais elles étaient trop serrées.

— Aidez-moi.

Les trois filles déplacèrent avec peine les vieilles caisses pourries. Certaines tombèrent en poussière, éparpillant leur contenu sur le sol.

— On voit que personne n'est venu ici depuis des années, fit Belinda, accroupie, rassemblant au mieux les vieux papiers.

Holly se faufila dans l'espace et tira une photo de son cadre. Une rangée de professeurs les fixaient d'un air sévère.

— Et ça, qu'est-ce que c'est ? demanda Tracy.

Elle montrait un rouleau sur le sol, aux pieds de Holly. Celle-ci le ramassa. Il était lourd, et mesurait environ un mètre de long.

— On dirait la toile d'un tableau, dit-elle.

— Déroulons-le, dit Tracy. C'est peut-être intéressant.

Elles le redéposèrent sur le sol.

— Nous allons avoir besoin d'un outil pour couper la ficelle, reprit Tracy. Nous n'arriverons jamais à défaire tous ces nœuds.

— Je m'en occupe, fit Belinda. Je suis la spécialiste des nœuds difficiles.

Elle s'accroupit et s'attaqua à la vieille ficelle avec ses ongles. Les deux autres la regardaient faire. Le lien devenait de plus en plus lâche. Enfin, ça y était ! Très doucement, Belinda déroula leur trouvaille.

— Waouh ! s'exclama-t-elle. C'est bien un tableau !

Elles posèrent des livres sur les quatre coins et se redressèrent pour mieux le regarder.

Le portrait d'une femme, vêtue d'une robe blanche à l'ancienne, ornée d'un délicat ruché de mousseline, leur faisait face. Elle posait debout dans ce qui semblait être le jardin d'un manoir. Ce dernier était peint à l'arrière-plan. Sur la gauche, on voyait une bâtisse plus petite, et sur la droite une étrange construction ronde qui avait tout d'un vieux temple décoratif — quelques colonnes de pierre formant un cercle, recouvertes d'un toit plat.

La femme les regardait fièrement. Sa peau était si claire qu'elle en était presque transparente ; ses longs cheveux blond cendré étaient relevés en chignon. Elle avait les yeux les plus pâles et le regard le plus triste que Holly ait jamais vus.

— Je me demande qui cela peut bien être, dit-elle.

— Qui que ce soit, dit Belinda, elle a un air terriblement malheureux.

— Quelle qu'elle *ait été*, corrigea Tracy. Regardez ses vêtements ! Ce tableau a été peint il y a des *années* ! Et encore, je suis large !

Les yeux de Holly s'écarquillèrent.

— Je me demande si quelqu'un la connaît, ici. Mlle Horswell a dit que personne n'était descendu au sous-sol depuis des lustres. J'ai vu des programmes à la télévision où des gens avaient retrouvé de vieux tableaux dans leurs greniers et, quand ils les avaient montrés à des experts, ils avaient découvert que ces toiles valaient une fortune. Vous ne croyez pas que...

— Ne va pas trop vite ! coupa Belinda. Tu ne penses pas sérieusement que cette peinture aurait pu être laissée ici si elle avait une quelconque valeur ?

— Mais on ne sait jamais, intervint Tracy. Ces choses-là arrivent *vraiment* ! De plus, elle a l'air très ancienne. Est-elle signée ?

Les jeunes filles scrutèrent la toile.

— Voilà la signature, fit Holly, soulevant le livre qui tenait le coin gauche. Mais cela ne nous aide pas beaucoup...

Les initiales griffonnées — *R.B. d'après H.B.* — ne rappelaient rien aux trois amies.

— Qui cela peut-il bien être ? murmura Holly.

— Nous devrions remonter la toile et la montrer à Mlle Horswell, reprit Tracy. Même si elle n'a que peu de valeur, c'est dommage de la laisser ici. Elle devrait être exposée quelque part.

— Oui, s'écria Holly. Et si elle en a, nous aurons nos photos dans le journal. Je vois d'ici les gros titres : « Des étudiantes, détectives amateurs, découvrent un chef-d'œuvre oublié. » Nous deviendrons célèbres.

— A mon avis, elle ne vaut pas un clou, lança Belinda. Je vous parie tout ce que vous voulez. Néanmoins, comme dit Tracy, nous devons la sauver puisque nous l'avons découverte.

Refermant soigneusement la porte, les trois jeunes filles remontèrent au rez-de-chaussée.

— Regardez dans quel état nous sommes ! s'exclama Tracy. Répugnantes !

Elles firent un détour par les lavabos où elles tentèrent de reprendre figure humaine. Mais la poussière et la saleté pendaient encore à leurs vêtements lorsqu'elles se dirigèrent vers le bureau de Mlle Horswell.

M. Barnard s'y trouvait, en grande conversation avec Mme Williams.

— Regardez ce que nous avons trouvé au sous-sol ! s'écria Holly, tout excitée. Vous pourriez peut-être nous dire si elle a de la valeur ?

— Tiens, tiens ! fit-il. Mais on dirait que vous sortez d'un puits de mine.

Les jeunes filles déroulèrent la toile sur le bureau. La femme au regard triste réapparut.

— Très jolie, commenta-t-il, en se penchant.

— A-t-elle de la valeur ? insista Holly.

— Je ne crois pas.

Il leur montra la signature.

— Vous voyez cela ? Lorsque quelqu'un écrit : « d'après », cela veut dire que c'est la copie d'un original. C'est probablement un élève d'ici qui l'a peinte, il y a quelques années.

— Dommage ! dit Holly, déçue. Alors, cela ne vaut pas grand-chose ?

— J'en ai peur. Bel essai, néanmoins !

A cet instant, la porte de Mlle Horswell s'ouvrit.

— Quel remue-ménage, par ici ! s'exclama-t-elle.

Ses yeux se posèrent sur la peinture.

— Mon Dieu ! La *Dame Blanche* ! Eh bien... je n'aurais jamais...

Elle fixa longuement la toile.

— Je l'avais complètement oubliée, dit-elle enfin.

— C'est la copie de l'original, reprit M. Barnard. Je crois que ces jeunes filles espéraient qu'elle ait de la valeur.

La directrice hocha la tête.

— Elles ont peut-être raison, dit-elle. Si le mystère de la Dame Blanche pouvait être résolu, cette peinture vaudrait une petite fortune.

Holly fit une grimace à Belinda.

— Tu vois ? Qu'est-ce que je t'avais dit ?

Mais la jeune fille demanda encore :

— Pourriez-vous nous éclairer sur ce mystère ? Je meurs d'envie d'en savoir plus.

Les trois amies, les yeux rivés sur le tableau, attendaient une explication.

C'est alors que retentit la sonnerie annonçant la reprise des classes de l'après-midi.

— Vous devriez filer à vos cours, ordonna la directrice. Et ne soyez pas en retard.

Devant la déception qui s'afficha sur leurs visages, elle ajouta :

— Voilà ce que je vous propose. Revenez ici dès la fin des cours et, si j'ai un peu de temps, je vous raconterai tout ce que je sais de cette histoire. Filez, maintenant. Et je vous conseille de faire une petite halte aux lavabos, mesdemoiselles. Si vous rentrez chez vous avec des vêtements dans cet état, vos parents vont croire que je vous ai fait labourer des champs toute la journée.

4

La Dame Blanche

Cet après-midi-là, Holly eut beaucoup de mal à se concentrer sur son travail. Et ce fut encore pire lorsqu'elle se retrouva assise à côté de Tracy, pendant l'un des cours, et qu'elles échangèrent une solide correspondance de bouts de papier sur lesquels elles griffonnaient tour à tour les suppositions les plus fantaisistes sur le mystère qui les préoccupait.

— La Dame Blanche était élève dans cette école, il y a très longtemps, suggéra un message. Et comme elle avait raté tous ses examens, elle fut emmurée vivante dans le sous-sol.

Holly gribouilla une réponse.

— Non. C'était sûrement un professeur qui, ayant eu une histoire d'amour tragique avec un prince, se jeta par la fenêtre du dernier étage. Elle fut enterrée dans une tombe secrète quelque part dans le parc du lycée, avec les lettres enflammées de son prince. Si on les retrouve, cela risque de provoquer un sacré scandale !

Enfin, la sonnerie de fin de journée retentit, et les trois jeunes filles se retrouvèrent dans le bureau de Mme Williams. M. Barnard y était déjà.

— Je suis aussi curieux que vous, leur dit-il. J'espère que vous ne voyez pas d'inconvénient à ce que j'écoute aussi cette histoire ?

— Bien sûr que non ! s'exclama Holly. Mais c'est *nous* qui allons résoudre le mystère.

— J'en doute fort, intervint Mlle Horswell, juste à cet instant. Entrez tous. J'ai une dizaine de minutes à vous accorder.

Elle avait étalé la toile sur son bureau, lestant les coins à l'aide de quelques livres et cahiers.

Ils s'agglutinèrent autour d'elle.

— Bon, comme vous l'a déjà dit M. Barnard, ce n'est qu'une copie. Peu de temps après la création de l'école, l'original de la *Dame Blanche* lui fut offert par un gentleman du nom de Hugo Bastable — le propriétaire de l'abbaye de Woodfree. C'était un artiste très célèbre à cette époque-là. Les initiales, H.B., que voici, sont les siennes.

— Je connais l'abbaye de Woodfree ! s'écria Belinda. C'est une vieille bâtisse, immense, située non loin d'ici. Elle est ouverte au public. J'y suis déjà allée.

— C'est exact, reprit Mlle Horswell. Mais elle n'appartient plus aux Bastable. L'histoire raconte que Roderick, l'un des petits-fils de Hugo, la négligea tellement qu'elle tomba en ruine. Il préférait dépenser la fortune familiale dans des affaires louches. Il accumula d'énormes dettes de jeu et, pour s'en sortir, demanda à l'école de lui rendre le tableau peint par son grand-père.

La directrice fit une pause.

— Mais Hugo Bastable avait été formel sur un point : le tableau ne devait jamais quitter l'établissement, tel un bijou dans son écrin. Il ne devrait être vendu que si l'école se trouvait confrontée à des problèmes financiers insolubles. Comme vous pouvez l'imaginer, cela ne plut pas du tout à Roderick. Peu de temps après, il y eut un vol à l'école et le tableau disparut.

— Volé par Roderick ? s'exclama Holly.

— Probablement, répondit Mlle Horswell. Mais rien ne fut prouvé. Et s'il avait prévu de tirer de l'argent de la vente de cette toile, ses plans échouèrent. Il fut arrêté et condamné pour escroquerie. C'est en prison qu'il peignit cette toile, de mémoire. Les Bastable étaient une famille d'artistes, même si Roderick préférait le jeu et les combines louches. Le jeune homme avait découvert qu'il allait mourir et qu'il ne sortirait jamais de prison. Il réalisa alors une copie de la *Dame Blanche*.

La directrice fit un geste vers le tableau.

— Celle-ci, en fait.

Tous les yeux se tournèrent vers la peinture.

— La légende raconte qu'il peignit plusieurs indices pour que sa fille soit capable de retrouver l'original. Ainsi, même s'il n'en tirait jamais aucun bénéfice personnel, sa famille pourrait retrouver la toile et se sortir des dettes qu'il leur avait laissées en héritage. Malheureusement pour Roderick, ses descendants perdirent l'abbaye et, avec elle, toutes les chances de retrouver le tableau.

— Alors l'original ne fut jamais découvert ? souffla Holly.

— Jamais, répondit Mlle Horswell. Après la mort de Roderick, la copie fut exposée quelque temps à l'abbaye. Mais des gens venaient de partout pour essayer de déchiffrer les indices et retrouver l'original. Cela créa de nombreux problèmes, comme vous pouvez l'imaginer. Excédés, les nouveaux propriétaires décidèrent de s'en débarrasser et nous donnèrent cette copie, espérant que cela mettrait un frein à cette chasse au trésor. Alors que l'original avait beaucoup de valeur, la copie de Roderick en était totalement dénuée. Néanmoins, la directrice de l'époque l'accrocha dans son bureau. Je l'ai fait descendre lorsque j'ai pris sa place. Elle était tellement triste que je ne supportais pas qu'elle me regarde comme cela pendant que je travaillais.

— Et le mystère ne fut jamais résolu ? demanda Holly.

— Jamais. Maintenant, vous en savez autant que moi sur la *Dame Blanche*.

Tracy se pencha vers la toile.

— Savez-vous quels sont les indices ? demanda-t-elle. Seraient-ils camouflés comme dans le jeu des sept erreurs ?

— Je n'en ai aucune idée.

— Est-ce que nous pouvons la garder un peu ? demanda Holly. J'adorerais essayer de les trouver.

— Tant que vous voudrez ! Du moment que je n'ai pas la

vision de ce triste visage tous les jours devant moi, je me moque de ce que vous en faites.

— Nous pourrions la garder dans la salle d'arts plastiques, suggéra M. Barnard. Comme cela, vous pourrez venir l'étudier à vos moments de liberté. Qu'en pensez-vous ?

Très excitées, les trois jeunes filles quittèrent le bureau de Mlle Horswell.

Mme Williams les attendait dans le hall, son manteau sur le dos, prête à partir.

— Un homme a demandé à vous voir, M. Barnard, dit-elle. Je lui ai dit que vous étiez occupé mais il a beaucoup insisté. Je crois qu'il vous attend à l'extérieur.

— A-t-il donné son nom ?

— Il ne semblait pas y tenir du tout.

Immédiatement, le visage de M. Barnard s'assombrit.

— Montez seules, dit-il aux filles. J'en ai pour un petit moment.

Il se dirigea vers l'entrée et descendit rapidement les marches. Holly et ses amies se ruèrent à l'étage supérieur.

— Tu ne crois pas sérieusement qu'après toutes ces années nous allons pouvoir découvrir une chose que personne d'autre n'a remarquée, quand même ? dit Belinda, en pénétrant dans l'atelier d'arts plastiques.

— Si tu es tellement sûre que c'est une perte de temps, tu peux encore rentrer chez toi, coupa Tracy.

— Quoi ? Et vous laisser seules ? Nous n'irons nulle part si je fais cela. Vous avez besoin de quelqu'un qui ait de la jugeote.

Elles étalèrent la toile sur une table.

— Si nous pouvions découvrir où se trouvent les maisons peintes à l'arrière-plan, cela nous aiderait à démarrer, murmura Holly.

— C'est facile, reprit Belinda. C'est l'abbaye de Woodfree. J'y suis allée plusieurs fois avec mes parents. La demeure et le domaine sont ouverts au public. De plus, ils servent de délicieux scones à la cafétéria... avec de la crème et de la marmelade. Rien que pour ça, cela vaut le coup d'y aller.

La jeune fille regarda longuement la peinture.

— Je ne vois aucun indice, dit-elle.

— Bien sûr! coupa Holly. S'ils avaient été évidents, le mystère aurait été résolu depuis longtemps.

— Bon, dit Tracy. Si cette grande bâtisse à l'arrière est l'abbaye, que sont ces deux autres?

— Celle-ci est ce que l'on appelle la maison d'été, reprit Belinda, en montrant celle de gauche, mais je ne suis pas certaine de l'autre. On dirait une décoration pour gâteau de mariage.

Elle marqua une pause.

— J'avais dix ans la dernière fois que j'y suis allée, admit-elle. Je ne me souviens pas de tout... à part des scones!

— Que diriez-vous d'une petite expédition à l'abbaye? suggéra Holly.

— Je me demande ce que c'est, fit Belinda, songeuse.

Cette dernière désignait une sorte de dessin fait de lignes droites, de croix et de diagonales, tracé sur le mur, juste à la bordure du toit de la maison d'été.

— Une simple décoration, dit Tracy. Hé! Peut-être qu'il a enterré la toile juste sous les pieds de son modèle!

— Eh bien, on n'est pas près de retourner tout le terrain! s'écria Holly. Vous avez entendu ce qu'a dit Mlle Horswell : les propriétaires en ont marre des chercheurs de trésor.

— Mais c'était il y a des années! lança Tracy. Je doute que quiconque soit revenu fouiner dans le coin depuis longtemps.

— Elle porte une superbe broche, dit Holly. Un oiseau noir et blanc, avec une longue queue. C'est peut-être un indice?

— Tout peut être un indice, dit Belinda. Je crois que tu as raison. On devrait aller là-bas jeter un coup d'œil, par nous-mêmes... et manger un scone ou deux...

— Et si on prenait une photo du tableau? suggéra Tracy. Comme cela, chacune de nous en aurait un tirage, et nous n'aurions pas besoin de revenir ici sans arrêt pour regarder la toile. Je connais quelqu'un qui peut nous faire cela. Attendez ici, vous deux, je vais voir si je le trouve.

Tracy se rua hors de la pièce.

— Elle n'arrête pas de courir ! soupira Belinda, en s'asseyant par terre. Je ne sais pas où elle puise toute son énergie ! De plus, je suis sûre que sa chambre est impeccablement rangée ! Pas comme la mienne !

A peine quelques minutes plus tard, Tracy revenait en traînant derrière elle un grand garçon blond.

— Voici Kurt Welford, dit-elle. Il est d'accord pour prendre la photo. Il est très doué pour cela, n'est-ce pas, Kurt ? Lorsqu'il n'est pas en train de jouer au cricket... c'est un dingue de ce jeu !

Kurt se mit à rire.

— Je ne sais pas si je suis un « dingue » du cricket, dit-il. Mais il est sûr que la photo vient en seconde position.

— Son père est l'éditeur du *Willow Dale Express*, reprit Tracy. Et Kurt a déjà publié plusieurs de ses œuvres dedans. Il a même sa propre chambre noire.

Tracy montra la toile au jeune homme.

— Voici ce dont je t'ai parlé. Pourrais-tu la photographier et nous en faire un tirage chacune ?

— Aucun problème. Il faut simplement que vous la mainteniez élevée pour moi. Il y aura peut-être un peu de reflet à cause du flash, mais l'image devrait être correcte.

Il sortit son appareil. Tracy et Holly placèrent la toile entre elles deux, la tenant à bout de bras.

— Je vais en prendre plusieurs, annonça le jeune homme, juste pour être sûr.

Le flash éclata deux fois.

— Quand pourrons-nous les avoir ? demanda Tracy.

— C'est la fin d'une pellicule, dit-il, en réfléchissant. Je peux les tirer cet après-midi et vous les apporter demain matin.

— Génial, lança Tracy.

— Mais pourquoi avez-vous besoin de ces photos ? demanda-t-il.

— C'est un secret, coupa Holly. Nous allons résoudre un mystère. Tu le découvriras quand nous en aurons fini... bientôt. A ce moment-là, tu pourras nous prendre en photo pour le journal de ton père.

Kurt éclata de rire.

— Faut que j'y aille, maintenant, dit-il. A demain.

Lorsque le jeune homme eut tourné les talons, Belinda, curieuse, titilla Tracy :

— C'est ton petit ami ?

— On est sortis quelques fois ensemble, répondit la jeune fille, les joues un peu plus roses. Mais rien de vraiment très sérieux.

Tandis qu'elles bavardaient, M. Barnard fit son apparition.

— Désolé, jeunes filles, dit-il. Je vais devoir fermer. J'ai une petite affaire à régler d'urgence. Vous pourrez revenir demain.

Elles restèrent encore un bon moment au coin de la rue à bavarder; elles n'arrivaient pas à se quitter. Du coin de l'œil, Holly aperçut M. Barnard qui traversait la rue et se dirigeait vers une voiture grise.

Un homme en blouson de cuir était adossé à la portière et leur tournait le dos. Tandis que Holly l'observait, il s'installa au volant. Malgré la distance, elle fut quasiment sûre d'apercevoir un aigle sur le dos du blouson de cuir.

M. Barnard ouvrit la portière côté passager, en jetant un regard anxieux autour de lui, comme gêné que quelqu'un puisse le voir monter dans cette voiture.

— Bon, dit Belinda. Je vais me renseigner sur les horaires de visites de l'abbaye auprès de ma mère et, à la première occasion, on y va. Vous êtes toujours partantes ?

— Et demain, enchaîna Tracy, nous pourrons commencer à étudier plus à fond la toile de la *Dame Blanche* et découvrir les indices.

Holly hocha la tête, distraitement. Elle repensait au regard inquiet surpris sur le visage de M. Barnard. Peut-être que son étrange visiteur lui avait apporté de mauvaises nouvelles ?

La voiture s'éloigna.

— Holly ! s'écria Tracy. Est-ce que tu es avec nous ou pas ?

— Excusez-moi, dit-elle. Je me demandais simplement ce

qui avait provoqué la hâte de M. Barnard. J'espère que ce n'est rien de grave. Je l'aime bien.

— Bon, fit Tracy. D'accord, mais maintenant concentre-toi sur notre sujet : le tableau.

— Oui, désolée, dit Holly. Demain à la première heure nous commencerons à rechercher des indices. J'ai hâte d'avoir ma photo dans le journal ! Peut-être que je pourrais même écrire un article sur notre aventure.

— Tu ne crois pas que tu mets la charrue avant les bœufs ? lança Belinda. Nous n'avons même pas commencé à le regarder de près et tu prépares déjà ton article.

— J'adore voir loin, répondit son amie.

Sur le chemin du retour, Holly imaginait le titre de son futur article : *Une nouvelle habitante de Willow Dale résout un insondable mystère.*

Enfin, elle avait une super histoire à raconter à Miranda.

5

L'abbaye de Woodfree

— Pourquoi m'as-tu demandé de faire un papier sur ce match de hockey si c'était pour le changer à ce point ? demanda Holly.

Elle venait enfin de rattraper Steffie Smith dans le couloir.

Cette dernière marchait à grands pas, l'air affairé, une pile de dossiers sur les bras. A son allure, elle ne semblait pas encline à s'arrêter.

— C'est ta faute, riposta la jeune fille. Tu n'aurais pas dû le faire aussi long. Il ne tenait pas dans la colonne.

— Tu aurais pu me dire combien de mots tu voulais, rétorqua Holly, furieuse.

Steffie eut un sourire condescendant.

— Tu n'avais qu'à me le demander.

— Non mais, quel toupet ! Attends un peu...

Mais Steffie la coupa, haussant les épaules.

— Je n'ai pas le temps de discuter de cela. De toute façon, la décision finale appartient à l'éditeur. Tu le savais, n'est-ce pas ?

Sur ces mots, elle tourna les talons, signifiant que l'entretien était clos.

Mais Holly ne s'avouait pas battue.

— Je conviens que nous n'avons pas pris un très bon départ, dit-elle aussi calmement que possible. J'ai juste envie de participer. Peut-être pourrais-je écrire quelque chose d'autre ? Ce sera très court, cette fois. J'ai déniché une vieille toile dans les sous-sols du lycée et une mystérieuse histoire s'y rattache. Je pourrais écrire un truc là-dessus, par exemple. Ça te dirait ?

— Sur une toile ? ricana Steffie. Je suis sûre que tout le monde sera superexcité de lire un article sur une vieille peinture.

Elle fit une grimace à Holly, réfléchissant au moyen de s'en débarrasser.

— D'accord, dit-elle enfin. Fais un papier là-dessus pour jeudi.

Kurt avait tenu parole pour les photos et, lorsque Holly rejoignit ses amies, Tracy avait les épreuves en main. Elles étaient loin d'être parfaites mais certainement assez bonnes pour livrer un maximum de détails. Elles allaient leur faire gagner un temps fou, en leur évitant de se référer constamment à la copie. Ce serait surtout pratique lors de leur visite à l'abbaye de Woodfree.

Belinda avait appris que la maison et le domaine étaient ouverts aux visiteurs jusqu'à cinq heures trente tous les jours de la semaine. Cela leur laissait de la marge pour y aller après les cours.

Cet après-midi-là, toutes trois grimpèrent dans le bus — direction l'abbaye. C'était une merveilleuse journée ensoleillée. Quelques nuages blancs s'effilochaient dans un ciel d'azur et les cimes des arbres ondulaient, poussées par une douce brise. C'était l'une de ces journées qui rendaient Holly heureuse d'habiter à la campagne.

Lorsque le véhicule les déposa, la jeune fille prit une grande bouffée d'air frais. Les trois amies avançaient maintenant sur une route en pente douce, toute en gravillons, encadrée par deux rangées d'arbres majestueux.

— Woodfree signifie sans arbres ! Quel drôle de nom pour un endroit qui en possède tant, remarqua Tracy.

— Dans la vieille langue anglaise, le mot « wood » signifiait *mad*, c'est-à-dire fou, dit Belinda. Alors, en fait, on devrait l'appeler l'abbaye Madfree ou l'abbaye sans fous.

Les deux autres la dévisagèrent, incrédules.
La jeune fille haussa les épaules.
— Je l'ai lu dans un guide, avoua-t-elle. Je suppose que les gens qui bâtirent cet édifice voulaient dire qu'il n'y aurait jamais de fous ici ou quelque chose du même genre; un endroit loin de la folie humaine!

Elles cheminaient dans une immense oasis de verdure. L'abbaye, entourée par un haut mur de brique, en était le cœur. De loin, elles virent que les grandes grilles en fer forgé étaient ouvertes. Au pied d'une colline boisée, un large espace avait été aménagé pour le stationnement des voitures de tourisme.
— C'est tout en haut, dit Belinda en désignant le flanc abrupt de la colline. Je me souviens bien de cette côte... elle est mortelle!
— Ta, ta, ta, dit Tracy. Un peu d'exercice te fera le plus grand bien. Holly, as-tu pensé à prendre le calepin?
— Bien sûr!
Elles avaient noté dans le petit agenda rouge toutes les idées qui leur passaient par la tête et qui pouvaient être un indice. Elles espéraient qu'un détail leur sauterait aux yeux pendant leur visite.
Tracy s'élança au pas de course vers le sommet.
— La dernière en haut est une vieille fainéante mollassonne! cria-t-elle.
— Une *jeune* fainéante mollassonne, s'il te plaît, rétorqua Belinda.
Elle jeta un regard inquiet sur Holly.
— J'espère qu'elle se calme de temps en temps. Cela me fatigue, rien que de la regarder.
Son amie éclata de rire, puis s'élança derrière Tracy. Celle-ci avait pris une bonne avance et elle ne put la rattraper. Néanmoins, toutes deux laissèrent Belinda grimper la côte à son rythme.
Mais qu'est-ce que ça peut bien être? se demanda Holly, subitement.
Tandis qu'elle grimpait, une vision étrange emplissait le

ciel — un objet rond, creux, d'un rouge brillant se balançait doucement dans les airs. On aurait dit le dôme d'une construction, ou d'une grande tente.
Tracy l'attendait sur la crête.
— Waouh ! s'exclama-t-elle, de son inimitable accent américain, encore plus prononcé sous l'effet de la surprise. Regarde ça !
Hors d'haleine, Holly s'écroula à ses côtés. Une énorme montgolfière se déployait sous leurs yeux. Elles entendaient le grondement des gaz qui envoyaient l'air chaud dans le ballon. La foule se pressait autour du dirigeable amarré par de solides cordages. Deux hommes s'affairaient dans la nacelle.
— N'aimerais-tu pas monter là-dedans ? demanda Tracy. Viens, allons y jeter un coup d'œil. Peut-être qu'ils proposent des balades.
Sans écouter la réponse de son amie, elle se mit à dévaler la pente.
Holly décida d'attendre Belinda qui arrivait tout juste, hors d'haleine et rouge comme une pivoine.
— Et la voilà repartie ! s'exclama la jeune fille. Elle ne s'arrête donc jamais ?
Posément, elles s'approchèrent du ballon. Comme il était presque entièrement gonflé, les gaz fonctionnaient au ralenti et la nacelle semblait faire des petits bonds sur la pelouse.
Tracy s'était frayé un chemin dans la foule. Holly et Belinda la virent discuter avec l'un des hommes qui, pour lui parler, se penchait dangereusement.
Enfin, elle revint vers ses deux amies.
— Ils ne vont pas décoller aujourd'hui, dit-elle, désappointée. Le vent est trop fort. Ils font juste quelques tests.
Le dirigeable était effectivement fort ballotté par l'air ; ses amarres étaient tendues à se rompre ; il semblait impatient de se dégager de ses contraintes terrestres et de partir à la conquête de l'espace.
— Ne sommes-nous pas venues pour jeter un coup d'œil sur les environs ? demanda Belinda.

— Tu as raison, répondit Tracy, s'arrachant avec difficulté à la contemplation de la belle montgolfière. Et comme tu connais le coin, dis-nous par où commencer !

Du doigt, la jeune fille indiqua la maison, sise à quelques centaines de mètres de l'endroit où elles se trouvaient. Sa façade de pierre blanche était dotée de nombreuses fenêtres qui reflétaient la lumière du soleil. Une volée de marches, bordée de colonnes de pierre, menait à une entrée imposante.

— Nous allons passer par derrière, décida-t-elle.

Les jardins encadraient la maison de tous côtés, puis s'étendaient à perte de vue.

— Voici la maison d'été. Vous vous rappelez, sur la peinture ? Et *ça*... — elle leur montrait des piliers disposés en cercle — ... comme la déco d'un gâteau de mariage, c'est le belvédère.

La maison d'été, construite de plain-pied et tout en longueur, était nichée au milieu d'un bois. Elle semblait un peu plus délabrée en naturel. Des planches bloquaient les fenêtres, le revêtement extérieur s'écaillait un peu partout et le toit s'était affaissé sous le poids de la mousse. L'endroit semblait désert, abandonné.

Les trois amies avancèrent presque jusqu'au bout du jardin. Puis Holly les arrêta.

— Je crois que c'est ici.

Elle sortit la photo et la tint en l'air pour qu'elles puissent la regarder ensemble.

— Nous sommes à peu près à l'endroit où la Dame Blanche a dû poser pour le tableau.

Elle sortit le calepin rouge.

— Bon, continua-t-elle. Qu'est-ce qu'on a noté comme idées ?

Les deux autres se penchèrent par-dessus son épaule.

— Cette maison d'été était en meilleur état à l'époque, s'écria Belinda. Regardez ! C'est bizarre ! Vous voyez les lignes qui s'entrecroisent sous la bordure du toit, sur la photo ? Ce n'est pas sur le vrai bâtiment.

— Ce sont peut-être de simples traces de pinceau, dit Holly. Néanmoins, on peut le noter.

Elle sortit un stylo et écrivit :

— Dessin manquant sur le mur de la maison d'été.

Levant les yeux, elle ajouta :

— Et est-ce que le truc avec tous les piliers a son dessin aussi ? Tiens, tiens ! Il n'y en a pas non plus !

En dépit de la médiocre qualité des photos que Kurt leur avait remises, elles distinguaient clairement un dessin géométrique sur la bordure du toit de l'étrange bâtiment. Il n'existait pas sur l'original. Son toit de plâtre était parfaitement blanc.

— Écris, dit Tracy. Il manque les dessins sur les deux bâtiments.

Elle regarda ses deux amies, puis ajouta :

— Croyez-vous que ce soient des indices ?

Belinda ouvrit de grands yeux.

— Sois sérieuse ! Si nous voyons cela, d'autres ont dû s'en apercevoir avant nous. Ce n'est sûrement pas aussi simple que cela.

— Ce que tu peux être rabat-joie, Belinda ! s'écria Tracy.

— Mais pas du tout ! riposta cette dernière. Je suis réaliste. Tiens, tiens ! Qui voilà ?

Un jeune homme approchait, coupant directement à travers la pelouse.

— C'est l'un des types du ballon, murmura Tracy.

Il ne semblait pas avoir plus de vingt ans. Une mèche de cheveux châtain clair lui mangeait le front et son sourire était éclatant.

— Re-bonjour, dit-il. Est-ce que je vous ai dit que nous espérions décoller tôt ce week-end ?

Son regard bleu intense restait fixé sur Tracy.

— Aimeriez-vous faire une balade ? Au fait, notre dirigeable s'appelle le *Diable Rouge*.

Les yeux de la jeune fille s'écarquillèrent.

— Pourrais-je vraiment y aller ? demanda-t-elle. Ce n'est pas une blague ?

Le garçon rejeta une mèche en arrière.

— C'est Robert qui décide, mais je suis sûr qu'il sera d'accord pour vous emmener faire une balade si vous en avez vraiment envie, dit-il. Je m'appelle David Taylor...

Il fit un grand geste vers la maison.

— ... et j'habite ici. Le *Diable Rouge* appartient à Robert mais nous le gardons dans le domaine comme attraction touristique. Certains jours, nous avons des cars entiers de visiteurs qui viennent tout spécialement pour voir voler la montgolfière. Dans ces occasions, nous emmenons des gens avec nous... et comme vous semblez intéressée...

— Et comment ! le coupa Tracy.

— ... il y a même de la place pour trois.

Une expression de crainte passa sur le visage de Belinda.

— Vous serez en sécurité, ajouta-t-il. Jusqu'à présent, nous n'avons jamais perdu qui que ce soit.

— Il faut un début à tout, murmura-t-elle.

— Vivez-vous réellement ici ? demanda Tracy. Je croyais que c'était... eh bien... un musée. Je ne savais pas que des gens y habitaient.

— Nous réservons quelques pièces pour nos appartements privés, répondit David. Pour mon père et moi-même. Mais comme il passe le plus clair de son temps à Sheffield, où il travaille, je suis souvent seul. Avez-vous déjà visité la vieille abbaye ?

— En fait, dit Tracy, nous sommes venues pour faire une enquête.

— Vraiment ? Racontez-moi.

Tracy narra la découverte de la *Dame Blanche* dans les sous-sols, tandis que Holly lui tendait l'une des photos.

David se mit à rire.

— Encore ce vieux truc ? Je croyais que tout le monde avait abandonné depuis au moins cinquante ans ! A une époque, les gens venaient de partout. Ils creusaient dans les massifs de fleurs et sondaient les murs. Du temps de mon grand-père, certaines personnes se sont même introduites en douce dans l'abbaye, la nuit.

— Oh ! s'exclama Tracy. Nous n'avons pas l'intention de faire ce genre de choses.

— Avez-vous trouvé les indices? demanda David. En principe, il y en a trois.

— Les dessins sur ces deux bâtiments, dit Belinda. La maison d'été et le... truc.

— La folie, précisa le jeune homme. On appelle cela une folie. Elles étaient très populaires au siècle dernier et on en trouve dans les parcs des anciennes demeures.

— A quoi ça sert, au juste? demanda Holly.

David eut un large sourire.

— C'était juste une mode, la folie de l'époque, d'où leurs noms. Néanmoins, c'est très intelligent de votre part d'avoir remarqué l'absence de dessins.

— Vous voulez dire que tout le monde l'avait vu, n'est-ce pas? demanda Holly.

— J'en ai bien peur! Je n'ai jamais vu la copie du tableau mais si mes souvenirs sont bons, les lignes dessinées sur la maison d'été étaient des chiffres romains. Une série de nombres que d'ailleurs personne n'a été capable de décoder. Quant au dessin sur la folie... on n'y a jamais vraiment prêté attention. Certains ont dit que ce pouvait être le plan de quelque chose. Comme une carte. Mais on n'a jamais trouvé à quoi elle aurait pu correspondre.

— Vous avez dit trois indices, reprit Holly.

— Le troisième était directement lié au modèle, mais je n'ai jamais su ce que c'était exactement.

Il regarda la photo de plus près.

— Pas très souriante, n'est-ce pas?

— Qui était-elle? demanda Belinda.

— Personne ne le sait. C'est peut-être cela la clé du secret. Trouvez qui était la Dame Blanche, et vous découvrirez le tableau disparu. Cela ne me déplairait pas de le trouver moi-même. Un peu d'argent serait le bienvenu, surtout en ce moment. Bon. Alors, est-ce que je vous revois samedi, pour vous emmener faire un tour?

— Avec grand plaisir, répondit Tracy.

Elles suivirent des yeux le jeune homme qui repartait vers la maison.

— Quel bagout! s'écria Belinda. Je n'aurais pas confiance en lui pour faire voler un cerf-volant, alors un ballon! Et puis, qu'est-ce que c'est que ces nous par-ci et ces nous par-là ? Vous ne me ferez pas monter dans ce truc-là pour tout l'or du monde.

Plus tard, alors qu'elles retournaient vers la route pour attraper le bus de Willow Dale, elles entendirent un bruit de moteur et le son d'un klaxon.

Lorsqu'elles se furent rangées sur le côté, une vieille décapotable rouillée les doubla en cahotant.

David Taylor était au volant. Il donna un dernier coup de klaxon en agitant la main.

— A samedi, leur cria-t-il.

La voiture attaqua la côte abrupte. Les vitesses grincèrent, puis le silence les enveloppa. Elle avait disparu de l'autre côté.

— Je comprends pourquoi il aimerait bien avoir un peu plus d'argent, dit Belinda. Cette voiture doit coûter une fortune rien que pour la maintenir dans cet état.

— Moi, je le trouve sympathique, dit Tracy. Et je reviendrai pour faire la balade en ballon, quoi que vous en pensiez.

— Fais-le, reprit Belinda. Pendant ce temps-là, Holly et moi, on enquêtera sur le tableau volé. N'est-ce pas, Holly ?

— Je croyais qu'on perdait notre temps, répliqua cette dernière, taquine.

— C'est sûrement le cas. Mais justement parce que M. Taylor pense que nous n'y arriverons pas, je vais tout faire pour lui prouver le contraire. Et pour commencer, je vais découvrir ce que signifient ces fameux chiffres romains.

6

Harry Owen

Holly était assise dans l'atelier, menton dans les mains, coudes sur la table, et fixait le visage triste et pâle de la Dame Blanche. A son côté, Belinda griffonnait, tellement concentrée qu'elle en avait presque la langue pendante.

Elle avait d'abord inscrit tous les chiffres romains, tels quels, et était occupée à les traduire en caractères arabes.

— Voilà qui est fait, s'exclama-t-elle.

Holly regarda la liste de chiffres qui s'alignaient sur le calepin : 20, 15, 6, 9, 14, 4, 13, 5, 12, 15, 15, 11, 2, 5, 8, 9, 14, 4, 13, 5.

— Et alors ? demanda-t-elle. Qu'est-ce que cela veut dire ?

— Je n'en sais rien, avoua son amie. Pour l'instant !

Elle haussa les épaules et ajouta :

— Peut-être que c'est un nombre de pas que l'on doit faire. Du genre, 20 pas à droite, puis 15 pas à gauche, etc.

— En partant d'où ? Et on commence par la droite ou par la gauche ?

— Je ne sais pas. Je ne suis pas médium. Peut-être de l'endroit où se tenait la Dame Blanche.

— Hum...

Holly se mit à étudier le dessin sur la folie. Un carré avec des rectangles — un grand et plusieurs petits à l'intérieur — et des tas de lignes qui s'entrecroisaient autour.

— Je ne crois pas que ce soit le plan de l'abbaye ni celui du domaine.

— Non, répondit Belinda. J'y ai déjà pensé et j'ai regardé

une carte. Rien à voir. Bon sang ! Ces chiffres ont forcément une signification !

La jeune fille se remit à mâchouiller l'extrémité de son crayon.

— Peut-être ne faut-il pas y penser comme à des chiffres et à des nombres normaux.

— Comme à quoi, alors ? demanda Holly.

— Je ne sais pas.

Tracy les écoutait, les pieds sur la table, son étui à violon sur les genoux. Elle s'était accordé quelques minutes de répit avant son cours de musique.

— Ils pourraient remplacer des lettres, intervint-elle. Vingt serait...

Elle compta sur ses doigts.

— ... un T.

Belinda la dévisagea, éberluée.

— J'espère que tu as tort, dit-elle. Je n'ai pas envie qu'à chaque fois que tu t'arrêtes — juste pour cinq minutes —, tu résolves quelque chose sur quoi j'ai sué pendant une demi-heure.

Tracy lui décocha un sourire éblouissant.

— Certaines personnes sont naturellement plus intelligentes que d'autres, répliqua-t-elle.

Son amie se pencha sur la feuille de papier couverte de signes.

A cet instant, la porte s'ouvrit devant M. Barnard.

— Bonjour ! Qu'êtes-vous donc en train de faire ? demanda-t-il.

— Nous travaillons sur la *Dame Blanche*, dit Holly. Nous sommes allées à l'abbaye et nous pensons avoir trouvé quelques indices.

— Vraiment ?

Le professeur s'approcha de la table. Les trois jeunes filles parlaient toutes en même temps, voulant lui raconter ce qu'elles avaient découvert.

— David Taylor, le fils du propriétaire de l'abbaye, pense que si nous découvrons qui était la Dame Blanche, nous pourrons retrouver le tableau, dit Holly.

— J'espère qu'il a raison, mais comment envisagez-vous de...

— Je l'ai, hurla Belinda. Tracy avait raison. Regardez ça!

Une série de lettres s'inscrivait maintenant sur son bloc : P.O.U.R.M.E.T.R.O.U.V.E.R.R.E.G.A.R.D.E.Z.D.E.R.R.I.È.R.E.M.O.I.

— Pour me trouver, regardez derrière moi, lut Belinda. C'est clair comme de l'eau de roche. Pour me trouver, regardez derrière moi. Super! J'ai résolu l'énigme!

— *Je* l'ai résolue, tu veux dire, coupa Tracy en bondissant sur ses pieds.

— Mais, regarder derrière quoi? demanda Holly.

— Derrière la maison d'été! fit Tracy.

— Ou derrière la façade, dit Belinda. Ou dans la maison d'été.

M. Barnard jeta un coup d'œil à sa montre.

— J'ai bien peur de devoir vous flanquer à la porte, maintenant, dit-il. Je dois préparer ma prochaine leçon.

Il se pencha au-dessus de la table et entreprit de rouler la toile.

— Je vais la mettre en sécurité. Vous pourrez revenir une autre fois.

Il ouvrit une armoire et plaça le rouleau sur l'une des étagères.

— Et voilà. Maintenant vous n'aurez plus à redouter que qui que ce soit vienne interférer avec votre affaire.

— Je vais aussi laisser mes notes ici, dit Belinda. Sinon je risque fort de les perdre.

M. Barnard referma le placard.

— Avez-vous déjà corrigé mon exposé, monsieur? lui demanda Holly.

A la dernière minute, elle avait changé d'avis quant au sujet de son devoir. Au lieu de prendre le portrait de Winifred Bowen-Davies, elle avait rédigé un essai sur la *Dame Blanche*... beaucoup plus long que les trois cents mots demandés.

— Pas encore, répondit-il. J'ai été pas mal occupé à la maison ces derniers jours, mais ne vous en faites pas, ce sera fait pour la semaine prochaine.

Ils quittèrent la salle.

— Je dois filer à ma leçon de musique, dit Tracy. A tout à l'heure.

— Moi je dois aller rendre mon article à ma chère « copine » Steffie, dit Holly, avec un petit sourire en coin. En fait, c'est le même que mon devoir, sauf que je lui ai pondu une version plus courte.

Quittant ses amies, elle se dirigea vers la bibliothèque. Son article se trouvait dans sa poche ; le titre en était : *Le Mystère de la Dame Blanche*. Holly avait raconté tout ce qu'elles avaient découvert sur cette mystérieuse Dame Blanche, y compris comment avançait leur enquête.

Elle était sûre que ce serait très agréable à lire et espérait que Steffie Smith l'aimerait suffisamment pour ne pas trop le sabrer, comme elle l'avait fait pour son reportage sur le match de hockey.

La jeune éditrice le lui prit des mains sans dire un mot.

— Je suis dans les temps pour qu'il soit publié, n'est-ce pas ? demanda Holly.

— Oui.

Steffie ne leva même pas les yeux de son écran.

— Alors, j'attends avec impatience de le voir dans la prochaine parution, ajouta Holly d'un ton autoritaire.

— Probablement, répondit Steffie, laconique.

Holly marqua une pause puis décida de ne pas entamer une discussion stérile. Elle aurait tout le temps de parler si son article ne paraissait pas dans sa totalité.

Holly, Jamie et Mme Adams étaient assis autour de la table familiale pour le dîner. Un délicieux fumet s'échappait des plats. Mais la chaise de leur père était encore vide.

— Tout va être froid, s'il ne se dépêche pas, dit leur mère. Il y a déjà vingt minutes que je l'ai appelé.

— Tu sais comment il est, quand il bricole, fit Holly. La moitié du temps, il ne t'entend même pas. Dois-je aller le chercher ?

— Non. S'il mange froid, ce sera sa faute.

A cet instant, la porte de la salle à manger s'ouvrit toute grande.

— Qu'est-ce qui sera ma faute ? s'exclama M. Adams.

Il entra, traînant derrière lui une chaise de bois blanc, tout juste achevée.

— Je me suis dit que je devrais finir ceci d'abord, dit-il, arborant un large sourire. Je pensais que quelqu'un pourrait avoir l'insigne honneur et le privilège de manger tout en étant assis sur la première pièce de mobilier complètement terminée de l'atelier Adams.

Il fit le tour de la table.

— Tu mets de la sciure partout, protesta sa femme, gentiment.

— Ne t'occupe pas de cela. Allez ! Lève-toi !

Mme Adams obtempéra et son mari lui glissa son œuvre sous les fesses.

— Assise ! ordonna-t-il.

Ce qu'elle fit.

— Alors ?

— Très confortable, avoua-t-elle en souriant. C'est magnifique ! Je suis impressionnée. Maintenant, assieds-toi et mange.

Plus tard ce soir-là, alors que Holly et Jamie faisaient la vaisselle, leur mère entra dans la cuisine.

— J'aimerais que tu emmènes ton frère chez le marchand de chaussures, demain après les cours, demanda-t-elle à sa fille. Il a besoin d'une paire neuve. Rappelle-moi de te donner de l'argent, demain matin.

— Je peux les acheter tout seul, protesta le jeune garçon.

— Non, tu ne le peux pas, coupa sa mère. Dieu seul sait avec quoi tu reviendrais si je te laissais choisir seul.

Holly avait l'habitude de ce genre de commissions et ne se laissait plus impressionner par les jérémiades de son frère ; elle avait appris à ne pas discuter avec lui.

— Je sais exactement ce que je veux, lui dit l'enfant, le lendemain après-midi, alors qu'ils cheminaient tous deux vers le centre-ville. Je les ai déjà repérées.

— Et je sais ce que maman veut que tu portes, dit Holly. Je doute que ce soit la même chose.

— J'ai onze ans! Je n'ai pas besoin d'une grande sœur pour me surveiller. Laisse-moi entrer et choisir tout seul, d'accord? Promis, je te les montrerai avant de les acheter.

— C'est bon, concéda-t-elle. Je t'attends dehors.

Holly n'était pas une fan du lèche-vitrines mais, pour une fois, elle décida d'aller se promener dans la rue en attendant que Jamie ait fait son choix, sachant qu'il en aurait au moins pour une demi-heure et qu'il rendrait folles toutes les employées avant de se décider.

Croisant une rue étroite, elle y jeta un coup d'œil et crut reconnaître la voiture qui s'y trouvait — une vieille guimbarde rouillée dont le pot d'échappement traînait par terre. Ce ne pouvait être que celle de David Taylor. Peu de gens à Willow Dale devaient posséder un véhicule aussi déglingué.

Elle s'avança dans la ruelle à la recherche du jeune homme. Les boutiques avaient l'air misérables et lugubres, ce qui contrastait étrangement avec la gaieté de celles de la rue principale.

Elle n'était plus qu'à quelques mètres de la voiture lorsqu'elle vit David sortir d'un porche obscur, titubant comme s'il avait été frappé.

Les yeux de Holly s'écarquillèrent de surprise. Dans la pénombre, elle reconnut l'homme aux larges épaules qu'elle avait déjà vu dans le jardin du presbytère. Celui qui parlait avec le type dont le blouson avait un aigle dans le dos.

— Ce n'est plus mon problème, disait l'homme.

David tira sur les pans de sa veste froissée et répondit :

— Écoutez, monsieur Owen...

C'est alors qu'il aperçut Holly. Il s'interrompit, fronçant les sourcils.

Le fameux M. Owen suivit son regard, puis tourna les talons et claqua la porte.

David eut un sourire peu convaincant.

— Salut, dit-il. Qu'est-ce que tu fais par ici?

— J'aide mon petit frère à faire du shopping.

Elle le considéra, perplexe. David semblait distrait, presque gêné.

— Puis-je te raccompagner quelque part ?
— Non merci, répondit Holly. Est-ce que ça va ?
— Ne te préoccupe pas du vieil Harry, dit-il en agitant la main. C'est un de mes amis. Ravi de t'avoir revue. Au fait, je ne connais même pas ton nom.
— Holly.
— Il va falloir que je m'en souvienne, dit-il. Alors, toi et tes amies, vous êtes-vous décidées à venir faire du ballon ?
— Absolument.
— Super ! J'ai hâte d'être à samedi. S'il fait beau, nous ferons une superbe promenade avec le *Diable Rouge*...
David ne cessait pas de bavarder. Holly se rendit compte qu'il essayait de meubler la conversation pour cacher sa gêne d'avoir été surpris avec Harry Owen.
— Bon, eh bien... je dois y aller.
Il sauta dans sa voiture et mit le contact.
— A bientôt, Holly. Salue tes amies de ma part et dis-leur que je les attends samedi.
Il fit reculer son véhicule toussotant jusque dans la rue principale. Les voitures klaxonnèrent tandis qu'il exécutait une rapide manœuvre, avant de s'éloigner bruyamment.

Elle sentait que David avait été plus choqué par sa rencontre avec Harry Owen qu'il ne voulait le laisser paraître.
Elle retourna à la boutique. C'était la deuxième fois que sa route croisait celle de cet Owen. Elle le trouvait vraiment bizarre ! Elle avait bien reconnu l'une des voix entendues dans le jardin du presbytère. C'est lui qui devait de l'argent à l'homme au blouson de cuir. Qui étaient-ils donc ? Et en quoi cela concernait-il David ?
Debout à l'entrée du magasin, Jamie piaffait d'impatience.
— Où étais-tu passée ? cria-t-il.
Holly entra avec lui, songeuse. Elle avait d'autres choses en tête que l'achat de chaussures.

— Tu es Holly Adams ?

Cette dernière leva les yeux. Elle attendait Belinda et Tracy devant le portail du lycée. Une grande fille blonde, plus âgée qu'elle et l'air contrarié, venait de l'interpeller.

— Oui.

Holly la connaissait vaguement mais ne savait pas qui elle était. La jeune fille tenait une copie de la dernière édition du magazine.

— Je suppose que tu trouves ça drôle de remuer à nouveau ces vieux souvenirs, lança-t-elle avec colère.

— Pardon ? fit Holly, surprise.

— C'est bien toi qui as écrit cet article sur le tableau volé, n'est-ce pas ? C'est Steffie Smith qui me l'a dit.

— Oui, mais...

— Pourquoi ne t'occupes-tu pas de tes affaires ? Tu n'aurais jamais dû écrire cet article. Et je te préviens, ne t'avise pas de recommencer, sinon... tu vas t'attirer de gros ennuis !

La fille tourna les talons et s'éloigna rapidement.

Pétrifiée, Holly fixait la longue silhouette. Qu'avait-il bien pu se passer ? Cette fille ne lui avait donné aucune chance de s'expliquer.

Son article n'avait fait que relater une fois de plus la vieille histoire de la Dame Blanche, concluant simplement par ces mots : « Maintenant que la copie du tableau a été redécouverte, il est excitant de penser qu'après toutes ces années la chasse à l'original peut recommencer. »

C'était complètement anodin. Pourquoi quelqu'un s'en offenserait-il ?

La vie à Willow Dale commençait à être beaucoup plus mouvementée qu'Holly ne l'avait imaginé !

7

Une conduite dangereuse

— D'après la description que tu en fais, ce ne peut être que Samantha Tremayne, dit Tracy. Sauf que Samantha ne se conduit jamais comme cela.

Les trois amies se rendaient chez Belinda. Cette dernière les avait invitées à faire la connaissance de son cheval.

Holly venait de leur raconter sa rencontre avec la furie aux cheveux d'or. Belinda ne voyait pas du tout de qui son amie parlait, mais Tracy était presque certaine que cette inconnue faisait partie de la chorale.

— Samantha est timide comme une petite souris, ajouta Tracy. Elle ne parle à personne; elle reste tranquille dans son coin, toujours seule. Il est difficile d'imaginer pourquoi elle t'est tombée dessus.

Holly haussa les épaules.

— En tout cas, elle l'a bel et bien fait. Et j'ai l'intention d'en découvrir la raison. Je veux savoir ce que j'ai fait; je déteste me faire des ennemis.

Puis elle ajouta avec une grimace :

— Sauf en ce qui concerne Steffie Smith. Mais pour elle, c'est différent. Elle n'a que ce qu'elle mérite.

Les trois jeunes filles cheminaient sur une large route ombragée, bordée d'imposantes demeures cachées derrière de grands murs de brique rouge. Elles se trouvaient dans la partie résidentielle de Willow Dale. Seules les familles les plus riches pouvaient s'offrir le luxe d'y habiter.

Belinda les fit entrer par la porte de service, directement dans un jardin qui aurait tout aussi bien pu être un parc. L'immense manoir était flanqué de plusieurs autres bâtiments plus petits.

— Tu ne nous avais jamais dit que c'était aussi grand ! s'exclama Tracy, les yeux écarquillés. Tu ne donnes pas l'impression d'être quelqu'un qui vit dans un tel palace !

— Non ? dit Belinda. Tant mieux.

Elle se tourna vers la maison et leur montra une fenêtre du doigt.

— Vous voyez cette fenêtre ? dit-elle. C'est ma chambre. Nous irons la voir tout à l'heure si vous voulez. Avec les écuries, c'est la seule pièce qui me ressemble vraiment.

Elles longèrent la pelouse, admirant les arbres centenaires et les énormes massifs de fleurs.

La tête allongée d'un pur-sang alezan apparut au-dessus de la demi-porte d'une stalle.

Belinda caressa longuement l'encolure luisante de son cheval.

— Jolly Jumper, annonça-t-elle d'une voix douce, je te présente mes amies, Holly et Tracy.

Puis, elle se tourna vers les deux jeunes filles et leur demanda :

— N'est-ce pas le plus bel animal au monde ?

Elles restèrent plus d'une heure dans l'écurie, aidant Belinda à nettoyer l'endroit. Lorsqu'elles en ressortirent, une forte odeur de cheval les environnait.

Belinda les conduisit dans la maison, directement dans une majestueuse cuisine aux poutres apparentes et dotée d'un fourneau à l'ancienne. Toutes trois s'étaient déjà attablées devant une grosse portion de glace lorsque la mère de Belinda entra.

Quel contraste avec sa fille ! Elle portait un ensemble ultra chic et ses cheveux étaient impeccablement permanentés. Pas une mèche ne s'échappait !

La jeune fille fit les présentations.

— Je suis heureuse que Belinda m'ait enfin écoutée, dit sa mère, et ait commencé à se faire quelques amies.

— Je vais montrer ma chambre à Holly et à Tracy, coupa Belinda en se levant.

Sa mère eut l'air épouvanté.

— Mais... elle est dans une telle pagaille ! Je ne sais pas ce que tes amies vont penser de toi, en voyant cela !

— Ne t'inquiète pas, elles ne se formaliseront pas.

— Non ! Je préférerais vraiment que tu la ranges avant de la montrer à quiconque, reprit sa mère. Peut-être aurez-vous quelque influence sur Belinda... moi, j'abandonne. Son armoire regorge de tenues plus adorables les unes que les autres, mais que porte-t-elle tout le temps ? Un vieux sweat-shirt et un jean qui aurait dû passer à la poubelle depuis longtemps.

— Débraillée et fière de l'être, murmura Belinda entre ses dents.

— Pardon ? Qu'as-tu dit, chérie ?

— Rien. Nous allons boire une limonade dans le jardin puisque je ne suis pas autorisée à montrer ma chambre.

Elles s'installèrent sur le gazon.

— Voilà ! Vous avez vu ma mère, soupira Belinda. Est-ce que l'une de vous ne voudrait pas échanger la sienne avec la mienne ? Mon père n'est pas si mal. Au moins, lui me fiche la paix... quand il est là, je veux dire. Il passe les trois quarts de son temps ailleurs pour ses affaires.

— J'ai oublié de vous dire, l'interrompit subitement Holly, que j'avais rencontré David Taylor. Il s'est comporté très bizarrement.

Elle narra d'abord la conversation qu'elle avait surprise dans le jardin du presbytère, puis ajouta qu'elle avait vu David avec cet homme — le fameux Harry Owen.

— David a fait comme si c'était sans importance, dit-elle. Mais j'ai eu la nette impression qu'il venait de se disputer avec ce type. J'aimerais bien savoir de quoi vit cet homme. Je suis sûre qu'il traite des affaires louches.

Tracy fronça les sourcils.

— J'espère que David ne s'est pas mis dans une situation délicate, dit-elle. As-tu entendu ce qu'ils disaient ?

Holly secoua la tête.

— Pas vraiment. Juste que quelque chose n'était plus du tout le problème de Harry Owen, mais je n'ai pas saisi ce dont il s'agissait.

Elles méditèrent là-dessus pendant un bon moment. Quel sens donner à ce qu'avait vu Holly ? Dans quel guêpier David s'était-il fourré ? Finalement, Belinda leur fit remarquer que cela ne les regardait pas et que le jeune homme était capable de prendre soin de sa petite personne.

— Il m'a demandé si nous venions toujours à l'abbaye samedi pour notre promenade en ballon, ajouta Holly.

Tracy dévisagea ses amies.

— On y va, n'est-ce pas ?

— Je viens avec toi si tu veux, dit Belinda. Mais rien ni personne ne me fera monter dans ce truc. Bon, ça suffit, maintenant. Je croyais que nous devions parler de la *Dame Blanche*.

Elle s'allongea sur la pelouse.

— C'est quand même plus intéressant que ce que mijote David Taylor, non ? Le Mystery Club est à peine formé depuis quelques jours que nous avons déjà résolu un vrai mystère. N'est-ce pas incroyable ?

— On *essaie* de résoudre un vrai mystère, corrigea Tracy.

Elles passèrent le restant de la soirée à échanger maintes idées sur l'étrange tableau, tout en regardant les photos prises par Kurt et en s'interrogeant sur le dessin qui ornait la folie.

— Je crois que nous devrions jeter un autre coup d'œil sur la copie, dit Belinda. Ces photos sont vraiment trop petites. A la première heure demain, d'accord ?

— A la seconde, fit Holly. Je veux d'abord essayer de retrouver Samantha Tremayne pour découvrir la raison de sa colère contre moi.

Le lendemain, Holly n'eut aucune difficulté à trouver la jeune fille.

« Elle sera sûrement en train de lire quelque chose, seule quelque part », lui avait dit Tracy. Effectivement, Samantha était assise dans l'herbe, derrière les courts de tennis, un énorme bouquin sur les genoux. Elle lisait tête baissée, le visage à demi caché par ses longs cheveux.

— Bonjour, fit Holly.

La jeune fille leva la tête.
— Qu'est-ce que tu veux ?
— Écoute. Je ne sais pas ce que j'ai fait qui te bouleverse mais je veux réparer cela, si je le peux.
— C'est trop tard ! Le mal a été fait.
Holly se mordit la lèvre.
— Je suis désolée. Quoi que cela ait été.
Samantha gardait la tête baissée. Holly la dévisagea quelques secondes puis abandonna l'idée de lui parler et tourna les talons.
— Je suppose que tu ne t'es pas rendu compte qu'il y avait peut-être des gens qui voulaient oublier tout ceci ? reprit la jeune fille, amère.
— Qui et quoi ?
— Les Bastable. Cette histoire au sujet de Roderick Bastable.
— Mais c'est du passé ! De l'histoire ancienne ! s'écria Holly. Qui s'en soucie maintenant ?
— Ses arrière-petits-enfants.
Holly se laissa tomber sur le sol.
— Tu veux dire qu'il y a encore des Bastable vivants dans la région ? Je l'ignorais. Mais après tout, pourquoi seraient-ils bouleversés ?
— Si tu avais été bercée par les histoires qui racontent dans quelles circonstances ton arrière-grand-père a dû vendre la maison familiale, dans laquelle tu aurais dû vivre, dit Samantha avec véhémence, si tu avais été élevée dans un appartement exigu et sombre parce que la fortune de ta famille a été dilapidée, tu préférerais que des gens n'écrivent pas des articles stupides sur le côté comique de la chose.
Holly était bouche bée.
— Tu veux dire que *tu es* une Bastable ?
— Ma grand-mère était la fille de Roderick Bastable. Ma mère n'était pas née à l'époque mais elle m'a raconté comment ma grand-mère a été harcelée par les gens. Ils lui posaient d'incessantes questions à propos des indices censés se trouver sur le tableau.

La jeune fille referma son livre avec un claquement sec.

— Je ne veux pas que cela recommence. Grand-mère n'est pas très bien en ce moment et elle n'a pas besoin de ça. De toute façon, tu perds ton temps, ajouta-t-elle. Ce tableau ne sera jamais retrouvé. Un monde fou a déjà cherché partout. Les indices sont probablement faux — les nombres, ce dessin insensé, la broche... ce sont des attrape-nigauds.

Samantha se mit debout, son livre serré contre sa poitrine.

— Je ne veux plus en entendre parler, c'est compris ?

Un peu triste, Holly la regarda s'éloigner. La jeune fille avait dit quelque chose... un détail qui l'avait frappée. En parlant des indices, elle avait dit : les nombres, les dessins et... la broche. Ainsi, elle tenait le troisième ! La broche en forme d'oiseau qui était épinglée sur le corsage de la Dame Blanche.

Contrariée par son entretien avec Samantha, Holly partit à la recherche de Tracy et de Belinda.

— Je n'arrive pas à croire que quelqu'un puisse se sentir comme cela après toutes ces années, commenta Tracy. Je veux dire, c'est quand même une vieille histoire, non ?

— Tout à fait, concéda Holly. Mais d'un autre côté, je n'aime pas l'idée que notre enquête bouleverse quelqu'un. Je crois que nous devrions poursuivre nos recherches plus discrètement.

— Allons jeter un autre coup d'œil sur la toile, dit Belinda. On a encore cinq minutes avant l'appel.

M. Barnard n'était pas dans l'atelier.

Holly ouvrit le placard mais, à sa grande surprise, l'étagère était vide. La toile et les notes de Belinda avaient disparu.

Tandis qu'elles fouillaient l'endroit, M. Kerwood, le proviseur, entra dans la pièce.

— Qu'est-ce que vous faites là, les filles ?

— On cherche quelque chose que M. Barnard nous avait mis de côté, dit Holly. Vous ne sauriez pas où il se trouve, par hasard ?

— Il ne viendra pas aujourd'hui. Il s'est fait agresser la nuit dernière alors qu'il rentrait chez lui ; il a plusieurs jours de repos.

— Agressé ? s'écria Tracy, inquiète. A-t-il été gravement blessé ?

— Je n'en sais pas plus, reprit M. Kerwood. Mais ne devriez-vous pas être à l'appel, maintenant ?

Les trois jeunes filles se sauvèrent, inquiètes, mais obéissantes.

Ce matin-là, tout le lycée ne parlait que de l'agression de M. Barnard. A la récréation, elles apprirent que l'attaque et le vol avaient eu lieu lorsqu'il était descendu de sa voiture et qu'il se dirigeait vers le perron de sa maison. Comme il ripostait, ses attaquants l'avaient mis K.O. et s'étaient sauvés avec son portefeuille.

— Je ne veux pas avoir l'air insensible, dit Belinda, mais j'aimerais savoir où il a rangé nos affaires.

— Nous avons encore les photos de Kurt, dit Tracy. Cela ne fait rien.

— Mais pourquoi a-t-il changé la toile de place ? insista Belinda. Et pourquoi toutes mes notes se sont-elles envolées ? Vous ne trouvez pas cela étrange ?

— Peut-être que M. Barnard les a emportées avec lui pour y jeter un coup d'œil, dit Holly. Ou peut-être s'est-il dit qu'elles n'étaient pas en sécurité dans ce placard et qu'il les a mises ailleurs ?

— Vous n'êtes pas très compatissantes ! reprit Tracy. Je crois que nous devrions lui envoyer une carte de prompt rétablissement. Pour lui remonter le moral.

— Ou nous pourrions lui rendre visite, lança Belinda. De cette manière, nous pourrons lui remonter le moral *et* lui demander où il a rangé la toile.

— On pourrait s'y arrêter avant de rentrer à la maison cet après-midi, après les cours, proposa Holly. Et s'il a la toile avec lui, cela nous donnera l'occasion de regarder de plus près cette fameuse broche. Les photos de Kurt sont trop petites pour qu'on puisse bien la voir.

Elle hocha la tête, pensive.

— Oui, ajouta-t-elle. Faisons cela. C'est une bonne idée.

Comme elles quittaient le lycée, ce jour-là, elles eurent la surprise de voir la vieille décapotable de David Taylor garée juste au coin de la rue. Le jeune homme était assis au volant et semblait attendre quelqu'un.

Tracy frappa sur le pare-brise, lui faisant un signe.

Il descendit de voiture.

— Bonjour.

Il eut un large sourire en apercevant Holly.

— On dirait que l'on se rencontre partout ! Ce doit être le destin !

Malgré ses paroles aimables, son attention était fixée ailleurs, dans le dos des trois amies.

— Un destin pire que la mort, marmonna Belinda.

Tracy lui donna un coup de coude dans les côtes.

Holly jeta un coup d'œil par-dessus son épaule. Elle aperçut Samantha Tremayne, debout au coin de la rue. Cette dernière, voyant Holly et les autres, fit demi-tour et s'éloigna rapidement dans la direction opposée.

— Qu'est-ce que tu fais par ici ? demanda Tracy.

David haussa les épaules, les yeux dans le vague.

— Pas grand-chose.

— Tu es en panne ? demanda Belinda.

La réflexion l'amusa.

— Non, pas du tout. Je suis de repos, aujourd'hui. Je peux vous déposer quelque part ?

— Nous allions rendre visite à l'un de nos professeurs qui est souffrant, dit Tracy. Mais ce n'est certainement pas sur ton chemin.

— J'ai tout mon temps. En chemin, vous pourrez me raconter où en sont vos recherches sur les indices. Allez, montez !

Regardant Tracy, il ajouta :

— Tu peux t'asseoir devant. Excuse-moi, je ne connais pas ton prénom.

— Tracy.

David regarda Belinda.

— Et tu es... ?

— Winifred, fit la jeune fille.

— Elle s'appelle Belinda, corrigea Tracy en la fusillant du regard. Excuse son sens de l'humour.

David se mit à rire.

— Pas de problème ! Bon. Tracy s'assiéra à côté de moi, devant ; Holly et Winifred à l'arrière. Je crois qu'on va tous tenir... bien serrés.

— Je n'en suis pas sûre, grogna Belinda. Je crois que je vais y aller à pied.

— Ne sois pas aussi peureuse, intervint Tracy. Ce sera super !

Au moment où elle grimpait dans la voiture, Holly vit Samantha Tremayne qui les observait de loin, une expression bizarre sur le visage.

Il n'y avait pas beaucoup de place pour les jambes à l'arrière, mais Belinda et Holly s'y casèrent quand même.

Après son habituel concert de grognements, de claquements et de rugissements, le véhicule s'élança à l'assaut de la route.

— Ce doit être la plus vieille voiture du comté, dit Tracy. A entendre tous les bruits qu'elle fait.

— Ne la critique pas, protesta David. Elle pourrait t'entendre et se fâcher. Elle est très sensible.

— Qu'est-ce que c'est que ce raclement bizarre ? demanda encore la jeune fille.

Il se mit à rire.

— Je ne sais pas. Il a commencé cet après-midi. Ce doit être une courroie qui a lâché ou quelque chose comme ça. Ne vous en faites pas, ma voiture ne va pas tomber en pièces détachées.

Malgré ses paroles rassurantes, le passage d'une bosse secoua fortement véhicule et passagers.

— Au secours ! s'écria Belinda. Est-ce qu'on pourrait revenir en arrière et ramasser mon estomac ?

Lorsqu'ils s'arrêtèrent enfin à un feu, la jeune fille expliqua à David la direction à prendre pour aller chez M. Barnard.

Ainsi à l'arrêt, ils entendaient nettement l'inquiétant raclement dont parlait Tracy.

— On dirait que cela vient du vide-poche, dit-elle.
— Des câbles trop souples, fit David.
Il embraya bruyamment et reprit la route.
Tracy se pencha et ouvrit la boîte à gants.
Quelque chose de noir bondit. Elle poussa un hurlement.
— Un rat!
Elle frappait frénétiquement du pied sur la masse sombre. Dans sa panique, elle avait attrapé David et le secouait comme un prunier.
Il y eut un bruit épouvantable. Le jeune homme lutta un bon moment pour garder le contrôle de la voiture, mais elle fit une embardée puis grimpa sur le trottoir.
Les freins hurlèrent. La dernière chose que Holly aperçut, avant de se cacher le visage dans les bras, fut le mur qui s'avançait vers elle.

8

Une visite indésirable

La voiture stoppa à un centimètre du mur. Tracy ouvrit vivement la porte et sauta. Les trois autres descendirent un quart de seconde plus tard.

Holly vit le gros rat noir se faufiler par la portière et disparaître dans les herbes, le long du mur.

Belinda grimpa d'un bond sur le coffre.

— Où est-il ? cria-t-elle. Est-ce que vous le voyez ?

David fit le tour du véhicule en donnant des coups de pied dans l'herbe.

— Arrête ! hurla Tracy. Il va te mordre.

— Comment est-il entré là-dedans ? questionna Holly.

La jeune fille restait soigneusement loin de la bordure du mur.

— Je n'en sais rien, répondit David. Je suppose qu'il s'est glissé dans le vide-poche à un moment et qu'il s'est retrouvé enfermé.

— Je savais que je n'aurais jamais dû monter dans cette voiture, dit Belinda. Vous l'avez vu ? Un monstre ! Je déteste les rats.

— Il est parti, maintenant, fit David.

Il se passa la main dans les cheveux, regardant Tracy, l'air ennuyé.

— On aurait pu se tuer, dit-il.

— Excuse-moi. Mais j'ai eu la peur de ma vie.

— Il a dû grimper par en dessous, reprit le jeune homme.

On a des rats de temps en temps à l'abbaye. On ne peut pas les tuer tous, l'endroit est trop grand.

Il frissonna.

— Je suis désolé de vous avoir effrayées. Est-ce que tout va bien, maintenant ?

— Je crois, dit Holly. Mais ne pourrions-nous pas repartir ? Il est peut-être encore en train de rôder aux alentours.

— Je ne remonte pas dans cette voiture, s'écria Tracy. Pas question ! Il y en a peut-être un nid complet.

David saisit une clé à molette et donna de grands coups dans le fond de la boîte à gants ; puis il regarda les jeunes filles.

— Il n'y en a pas d'autres, dit-il. Allez, montez. Je vais vous déposer comme prévu. Ce n'est plus très loin, de toute façon.

— Donne-moi cet outil, dit Tracy. Je ne vais pas me rasseoir sans une arme pour me défendre.

A contrecœur, les trois filles se réinstallèrent dans la voiture. David démarra.

— Dès que je serai à la maison, dit-il, je ferai mettre des pièges partout.

Holly fixait la boîte à gants que personne n'avait refermée.

— C'est bizarre, dit-elle. Comment a-t-il pu arriver jusque-là ?

— Il doit y avoir un trou dans le fond, dit David.

— Mais je n'en vois aucun.

— Des rats clandestins ! ajouta Belinda. On aura tout vu !

— Ne plaisante pas avec cela, dit Tracy. Je n'ai jamais eu aussi peur de ma vie.

David les déposa au bout de l'avenue où se trouvait la maison de M. Barnard.

— J'espère que vous êtes toujours d'accord pour venir à l'abbaye, ce week-end, dit-il.

— Oui, mais installe d'abord tes pièges, dit Tracy. Si j'aperçois le moindre rat, je n'y remettrai plus jamais les pieds. D'accord ?

Elles descendirent et regardèrent la voiture s'éloigner.
Tracy dévisagea ses amies.

— Un rat! s'exclama-t-elle. Est-ce que vous pouvez le croire? Un rat dans la boîte à gants!

Elle secoua la tête.

— On dirait une scène tirée d'un film d'horreur.

— A quel numéro habite M. Barnard? demanda Holly à Belinda.

Cette dernière avait obtenu l'adresse de leur professeur auprès du secrétariat de l'école.

— Au 17.

Elles avancèrent, vérifiant tous les numéros sur les façades.

— On y est! dit Holly.

Elles se tenaient devant un joli bungalow de brique rouge, encadré par une haute haie.

— Il vit seul, dit Belinda. Ma mère me l'a dit. Elle fait partie du comité des parents d'élèves et sait tout ce qui se passe dans cette ville.

Holly s'avança dans l'allée. Il n'y avait pas de sonnette, mais un simple anneau de laiton.

Elle frappa plusieurs fois, en vain.

— Il devrait être là, dit Belinda. Il n'est sûrement pas en train de faire du jogging, après l'agression de la nuit dernière.

Holly frappa de nouveau.

— On dirait qu'il n'y a personne!

Elle s'approcha d'une fenêtre et aperçut une grande pièce confortable, fermée d'un côté par une immense baie vitrée derrière laquelle se découpait la silhouette d'un homme. Il était assis, de dos, sur une chaise en plastique.

— Je le vois, dit Holly. Il est dans le jardin. C'est pour cela qu'il ne nous entend pas.

Une petite allée faisait le tour du bungalow.

— Venez, dit-elle à ses amies, nous allons passer par là.

Toutes trois s'avancèrent, à la queue leu leu.

— Houhou! héla Holly. Il y a quelqu'un?

Elle s'arrêta au coin du mur, passant simplement la tête de l'autre côté.

— Monsieur Barnard ? C'est nous ! Nous... *Oh !*

L'homme qui se trouvait sur la chaise les fixait sombrement.

Cet homme n'était pas M. Barnard...

Avant qu'elle ait eu le temps de dire quoi que ce soit, son attention fut attirée par un mouvement dans les buissons, et le visage du professeur apparut au-dessus d'un gros fourré. Sa peau était rouge et écorchée comme s'il avait été mêlé à une méchante bagarre ; l'un de ses yeux était à demi fermé par un beau coquard.

Il fronça les sourcils.

— Holly Adams ? Pour l'amour du ciel, que faites-vous ici ?

Holly s'avança à découvert, Tracy et Belinda sur les talons.

— Nous sommes venues prendre de vos nouvelles, dit Tracy. Nous pensions que vous aviez besoin qu'on vous remonte le moral.

— Toute l'école ne parle que de votre agression, renchérit Holly. Nous nous sommes dit que l'on pourrait peut-être faire quelque chose pour vous.

L'expression interloquée de M. Barnard se changea en un étonnement sans bornes.

— C'est très gentil de votre part, dit-il. Et j'apprécie beaucoup, mais...

Il jeta un coup d'œil à l'homme assis sur la chaise.

— ... je ne pense pas que vous puissiez faire grand-chose. C'était une méchante agression, mais heureusement, j'ai eu plus de peur que de mal.

Souriant, il s'avança hors des buissons en retirant ses gants de jardinier.

— Mon frère s'occupe de moi. Il est... de passage pour quelque temps.

Les filles dévisagèrent l'autre homme.

— C'est terrible que l'on vous ait attaqué, dit Tracy. Vous a-t-on aussi volé quelque chose ?

— Rien d'irremplaçable. Écoutez, je ne voudrais pas

avoir l'air impoli, mais il n'y a rien que vous puissiez faire. Je crois que vous devriez rentrer chez vous.

S'approchant d'elles, bras largement écartés, il les repoussa gentiment vers l'allée.

— Tout va bien maintenant, leur dit-il, alors qu'ils arrivaient devant le perron du bungalow. Je vais sûrement reprendre les cours d'ici un jour ou deux. Ne vous inquiétez pas.

— Est-ce que votre frère a été blessé lui aussi ? demanda Tracy. J'ai remarqué qu'il avait des marques sur les mains.

M. Barnard lui décocha un regard inquiet.

— Non, répondit-il. Tom n'y a pas été mêlé.

Il approcha la main de son œil gonflé.

— J'ai juste besoin d'un peu de repos, c'est tout. Vous comprenez ?

— Naturellement, reprit Holly. Nous ne voulions pas vous déranger.

M. Barnard ouvrit le portail.

— C'était très gentil de votre part de venir me voir. Je suis touché.

— Il y a aussi autre chose, dit Belinda. Nous nous demandions si vous aviez la toile de la *Dame Blanche* avec vous, ici. Nous n'avons pas pu la retrouver dans le placard où vous l'aviez rangée. Nous pourrions la rapporter à l'école pour vous.

M. Barnard secoua la tête.

— Non, je ne l'avais pas prise avec moi, dit-il. Avez-vous bien regardé ?

— Oui, dit Holly, et je suis pratiquement sûre qu'elle n'est plus là-bas.

— J'ai bien peur de ne pas pouvoir vous aider. Quelqu'un a dû la déplacer. Je suis sûr que vous allez la retrouver. Allez ! Sauvez-vous, les filles... et merci d'être venues.

Les trois amies se retrouvèrent dans l'avenue.

— Bizarre ! dit Belinda.

— Quoi ? demanda Tracy.

— Eh bien, comme je vous l'ai dit, ma mère sait absolument tout sur les professeurs de l'école et elle m'a toujours dit que M. Barnard n'avait pas de famille. De plus, je ne l'ai jamais entendue parler d'un frère.

— Il a dit que son frère lui faisait une petite visite, dit Holly. Il vit probablement ailleurs dans le pays. Il n'y a rien de bizarre à cela, que je sache.

— Cela prouve simplement que ta mère ne sait pas tout, dit Tracy.

Belinda hocha la tête.

— Vrai ! Mais cela nous laisse quand même une question sans réponse : où est passée la toile de la *Dame Blanche* ? Si M. Barnard ne l'a pas, alors qui l'a prise ?

— Nous retournerons fouiller l'endroit demain, dit Tracy. Peut-être que nous n'avons pas regardé partout. En tout cas, on a encore les photos, donc, même si elle a disparu, ce n'est pas un trop gros problème.

— Sauf que nous ne pouvons pas voir de plus près à quoi ressemble la broche, dit Holly. Et je n'aime pas l'idée que la *Dame Blanche* se soit volatilisée comme cela.

— Nous n'en sommes pas encore sûres à cent pour cent, dit Belinda. Nous n'avons pas eu le temps de faire une fouille complète. Nous pourrons y retourner demain.

— Et si nous ne la trouvons pas ? demanda Holly.

Les trois jeunes filles se regardèrent, perplexes.

— Alors nous commencerons à nous inquiéter de l'endroit où elle pourrait être, dit Belinda.

Le lendemain matin, Holly arriva de bonne heure, avec l'intention d'aller directement passer au crible l'atelier d'arts plastiques pour retrouver la *Dame Blanche* et les notes de Belinda. Si elles étaient là, cela ne devrait pas lui prendre plus de dix minutes.

Elle entra dans les vestiaires pour se débarrasser de son sac.

Lorsqu'elle ouvrit son casier, une enveloppe s'y trouvait. Quelqu'un avait dû la glisser sous la petite porte.

Holly l'ouvrit, intriguée. Elle ne contenait qu'une simple feuille de papier blanc, sur laquelle on pouvait lire :

Holly, je voudrais te voir. C'est au sujet de la Dame Blanche. S'il te plaît, n'en parle à personne.

Le message était signé : *Samantha Tremayne.*

9

Péril dans la maison d'été

Holly glissa la note dans sa poche. Que pouvait bien lui vouloir Samantha ? Elle avait clairement exprimé ses sentiments concernant leur enquête et Holly n'avait pas envie d'avoir une autre conversation houleuse avec elle. Néanmoins, le message ne semblait pas avoir été écrit sous le coup de la colère.

Elle dévala les escaliers et partit à la recherche de Samantha. Si cette dernière voulait une conversation tranquille, elle devait être en train de se promener seule quelque part. Quel meilleur endroit que les courts de tennis ?

Il faisait froid et le ciel était lourd de nuages. La pluie menaçait.

Elle repéra la silhouette de la jeune fille, debout, près des hauts grillages des courts.

Comme elle s'approchait, Holly la vit se baisser pour ramasser quelque chose.

— J'ai trouvé ton message.

— Je voulais te rendre ceci, dit Samantha. Je n'aurais jamais dû le prendre. Excuse-moi.

C'était un sac d'où dépassait l'extrémité d'un rouleau de toile.

— C'est la copie du tableau, dit-elle, les yeux baissés. Et il y a aussi toutes vos notes.

Holly la regarda, étonnée.

— Je voulais vous arrêter, reprit Samantha. Je pensais que si le tableau disparaissait, vous alliez abandonner.

— Est-ce tellement important pour toi ?

Samantha secoua la tête.

— Non, plus maintenant. C'est pourquoi je te le rends. C'était stupide de ma part, je m'en rends compte. Puis-je t'expliquer ?

Elle regardait anxieusement Holly, un sourire fragile sur les lèvres.

— C'est à cause de ma grand-mère, tu sais. Elle est vraiment très malade.

— Oui, souffla Holly. Tu me l'as dit. J'en suis désolée.

— Elle vit dans une maison de retraite. J'y vais aussi souvent que possible. Hier, lorsque j'y étais, elle a senti que j'étais fâchée. Je n'ai jamais été très douée pour lui cacher mes émotions. Nous avons toujours été très proches.

Elle s'interrompit un moment, perdue dans ses pensées. Holly attendait.

— Elle ne voulait pas me laisser partir sans que je lui aie avoué ce qui me tourmentait.

— Était-elle bouleversée, elle aussi ? demanda Holly.

— Non. Et ça, c'était bizarre. Elle m'a dit qu'il était grand temps que quelqu'un retrouve enfin cette peinture. Nous en avons alors beaucoup parlé.

Samantha repartit dans un long silence.

— Est-ce la raison pour laquelle tu me rapportes la toile ? demanda Holly. Parce que ta grand-mère est d'accord pour que nous recherchions l'original ?

— En partie. Mais il n'y a pas que ça. Quelque chose dont j'ignorais l'existence jusqu'à hier au soir.

Elle plongea la main dans la poche de son blouson et en sortit une petite boule de tissu.

— Elle m'a donné ceci pour que je te le montre.

Délicatement, Samantha ouvrit l'étoffe. Une broche noire et blanche scintillait de mille feux ; une broche en émail qui avait la forme d'un oiseau.

— C'est une pie, dit la jeune fille. Et c'est le pendant d'une paire.

— On dirait bien que c'est la même que la broche du tableau ? s'étonna Holly.

— Pas *la même*. Ma grand-mère m'a dit que c'est celle du tableau. Et elle m'a raconté son histoire ; une histoire qu'elle n'avait jamais dite à personne jusqu'à hier. Pas même à ma mère.

— Je ne veux pas être indiscrète.

— Mais je dois te la raconter. Grand-mère m'a demandé de le faire. C'est un élément à propos de la Dame Blanche qu'elle est seule à connaître. Voilà, l'histoire de la broche pourra peut-être t'aider dans tes recherches.

Samantha prit une profonde inspiration.

— La Dame Blanche était la tutrice des enfants de Hugo Bastable. Elle travaillait pour lui à l'abbaye. Elle y a même vécu un certain temps. Et c'est comme cela que tout est arrivé.

— Qu'est-ce qui est arrivé ?

— Ils sont tombés amoureux. Hugo et la Dame Blanche. Apparemment, Hugo était prêt à tout abandonner pour vivre avec elle. Sa famille, l'abbaye... tout. Mais elle l'en a empêché et lui a annoncé qu'elle allait partir. Alors il a réalisé son portrait, pour garder un souvenir, quelque chose d'elle. Le jour de son départ, elle lui a offert l'une de ses broches en forme de pie. Ma grand-mère m'a dit que la broche n'était pas sur la toile originale ; elle a été rajoutée sur la copie, comme indice.

— Est-ce que ta grand-mère sait qui était la Dame Blanche ? demanda Holly.

Samantha secoua la tête.

— Personne ne le sait. Elle m'a dit qu'après son départ de l'abbaye Hugo avait détruit toutes traces de son séjour. La seule chose qu'il ait conservée, c'est son portrait.

Elle regarda Holly et lui sourit.

— Hugo a gardé son identité secrète pendant des années, poursuivit-elle. Lorsque sa femme est morte, il l'a révélée à son fils. Roderick était la seule personne à le savoir. Et c'est lui qui a raconté l'histoire à sa fille — ma grand-mère. Il se trouvait alors à l'hôpital de la prison et savait qu'il allait mourir. Mais il voulait que sa fille puisse retrouver la toile disparue, pour payer ses dettes. Hélas, ils n'ont jamais pu parler seul à seule et Roderick lui a remis la broche sans pouvoir lui révéler la cachette. Il lui a demandé de retrouver la *Dame Blanche*. Apparemment, ce furent ses derniers mots : Trouve la *Dame Blanche* !

Holly était pensive.

— Mais elle doit être morte depuis longtemps, dit-elle. C'est une histoire terriblement triste et je ne vois pas comment elle peut nous aider à retrouver le tableau original.

— Grand-mère croit que Hugo ayant révélé à Roderick l'identité de la Dame Blanche, ce dernier lui aurait confié la toile pour la cacher. Cela expliquerait pourquoi il a dit : Trouve la Dame Blanche ! Elle pense que si vous pouviez découvrir qui elle était, cela vous mènerait au tableau.

Samantha enveloppa à nouveau la broche et la glissa dans sa poche.

— Je suis désolée de m'être aussi mal conduite, hier, ajouta-t-elle. Et aussi d'avoir pris la toile. Je suis tellement fatiguée ces jours-ci que je ne sais parfois plus trop ce que je fais. Ma grand-mère n'a pas d'argent et ma mère ne peut pas payer seule les factures de la maison de retraite, alors je dois travailler trois nuits par semaine et les week-ends pour l'aider. Tu comprends ?

— Merci de m'avoir dit tout cela. Je suis sûre que cela va nous permettre de retrouver le tableau. Dis à ta grand-mère que nous allons faire le maximum.

Samantha sourit.

— Je le lui dirai. Je suis sûre qu'elle se sentira mieux si on le retrouve enfin.

Holly sourit à son tour.

— Nous le dénicherons, dit-elle. A présent, j'en suis certaine.

La pluie tombait dru. Holly tenait un parapluie au-dessus de la tête de la mère de Tracy, pendant que cette dernière transportait une dernière boîte, de la voiture à la maison mitoyenne, où elle vivait avec sa fille.

— Ce n'est pas le temps idéal pour ce genre de travail, n'est-ce pas ? dit Mme Foster aux trois amies. Néanmoins, je vous remercie de m'avoir aidée. Sans vous, j'aurais été trempée comme une soupe. Voulez-vous une tasse de thé et quelques sandwiches, en récompense ?

Holly, Tracy et Belinda avaient aidé Mme Foster à rassembler des jouets et des jeux dans tout le quartier. La crèche dont elle s'occupait avait toujours besoin de nouveaux jeux pour les enfants, et les prospectus qu'elle avait affichés chez les commerçants avaient porté leurs fruits.

Des caisses et des sacs de toutes tailles s'amoncelaient dans l'entrée. Mme Foster referma la porte et posa la dernière boîte sur la pile.

— Les gens sont vraiment très gentils, dit-elle. Mais c'est épuisant d'aller faire du porte-à-porte pour récupérer leurs dons. Allons dans la cuisine reprendre notre souffle.

— Nous pourrions vous aider à les trier, proposa Holly.

— Pas maintenant ! s'écria la mère de Tracy, souriante. Je ne fais plus rien jusqu'à demain. J'estime que cela suffit pour aujourd'hui. N'est-ce pas votre avis, les filles ?

La cuisine était petite et agréable. Les murs étaient couverts de dessins d'enfants multicolores.

Tracy prépara des sandwiches pendant que l'eau chauffait pour le thé. Une rafale de pluie vint s'écraser sur la fenêtre.

— Bon, dit Mme Foster. Je vais aller faire une petite sieste.

Elle prit sa tasse et les abandonna avec les sandwiches.

— Maman se repose toujours à cette heure-ci, expliqua Tracy. Une demi-heure sur le canapé la remet en pleine forme. Montons dans ma chambre.

La pièce était impeccablement rangée. Néanmoins, Belinda ne put en croire ses yeux.

— Est-ce que c'est tout le temps comme cela ? demanda-t-elle. A côté de la tienne, ma chambre a l'air d'un marché aux puces.

— C'est plus facile de retrouver tes affaires si tu remets chaque chose à sa place, répondit Tracy.

Elle tira quelques coussins de dessous le lit, et les trois amies s'y installèrent.

— Est-ce qu'on ne devrait pas réfléchir encore au problème de la Dame Blanche ? suggéra Holly.

Elle leur avait raconté son entrevue avec Samantha et leur avait transmis les nouveaux éléments.

— L'histoire de sa grand-mère est vraiment précieuse, dit Tracy. Mais même si la Dame Blanche a vécu très vieille, elle doit être morte depuis des années ! Et si personne ne sait qui elle était, comment sommes-nous censées découvrir quoi que ce soit à son sujet ?

— C'est bizarre, reprit Holly, mais cette broche me semble étrangement familière. Je n'arrive pas à savoir pourquoi.

— Avez-vous remarqué qu'il y avait des sculptures d'oiseaux sur le toit de la maison d'été ? lança Tracy. On ne peut pas vraiment les voir sur les photos, mais je les ai remarquées l'autre jour à l'abbaye. Un oiseau à chaque coin.

— Encore ! s'écria Belinda. Tracy Foster, je te déteste.

— Qu'est-ce que j'ai encore fait ?

— La maison d'été, dit Belinda dans un souffle. Et le message codé dit : Pour me trouver, regardez derrière moi.

— Je n'ai pas dit que c'étaient des pies. Ce peut être n'importe quelle sorte d'oiseaux.

— Ce ne sont sûrement pas des autruches ! fit Belinda. Je vous parie n'importe quoi que ce sont bien des pies. Et le seul moyen de s'en assurer, c'est d'aller les voir de plus près. Nous devons y retourner.

— Pas ce soir, dit Tracy. De plus, c'est sûrement déjà fermé et, demain, j'ai promis de faire du baby-sitting, donc il faudra attendre samedi. De toute façon, nous devons y aller pour faire une balade en ballon avec David. Nous pourrons y jeter un coup d'œil à ce moment-là.

— Cela ne m'amuse pas non plus d'y aller par ce temps, dit Holly.

Par la fenêtre de la chambre, elles pouvaient voir le rideau de pluie qui assombrissait l'horizon.

— Si le tableau est caché dans la maison d'été, reprit Holly, il peut nous attendre encore un jour ou deux, n'est-ce pas ?

— J'espère qu'il ne pleuvra pas samedi, dit Tracy. Je ne pense pas que David fera décoller la montgolfière au beau milieu d'une tempête.

— En ce qui me concerne, tu ne me verras pas dans ce machin-là, qu'il pleuve ou qu'il fasse beau, dit Belinda.

Tracy et Holly échangèrent un petit sourire complice. Si Belinda pensait qu'elle ne monterait pas dans le *Diable Rouge*, ses deux amies avaient leur petite idée sur la question.

Non seulement le temps ne s'améliora pas pendant les deux jours qui suivirent, mais il empira. Quelques petites éclaircies ne purent avoir raison des énormes nuages noirs qui explosaient, inondant les collines.

Le samedi matin, on aurait dit que tous les nuages étaient venus se placer au-dessus de Willow Dale. Des éclairs sillonnaient le ciel, ricochant sur les collines, et le tonnerre grondait sourdement.

Lorsque Holly arriva à l'arrêt du bus, Belinda attendait déjà.

— Les chances que Tracy puisse faire une balade en ballon par ce temps sont quasiment nulles, dit-elle. Nous aurions dû nous décommander.

— Nous pouvons toujours visiter la maison d'été, répondit Holly. Je ne supporte plus d'attendre encore.

Tracy arriva en courant, à demi cachée sous un immense parapluie multicolore.

— Est-ce qu'on prend le bus ou est-ce qu'on y va à la nage ? demanda-t-elle, mutine.

Heureusement, elles n'eurent pas à patienter longtemps. Le bus arriva, glissant sous la pluie. Elles s'y ruèrent, heureuses de se retrouver au sec.

Le véhicule les déposa au bout du chemin. Les graviers,

creusés de rigoles, roulaient sous leurs pieds. Elles avançaient prudemment vers les grandes grilles. Comme toujours, ces dernières étaient ouvertes. En revanche, l'aire de stationnement était déserte.

Un éclair zébra le ciel. L'instant d'après, le tonnerre secoua l'atmosphère.

— Il est juste au-dessus de nous, dit Holly en frissonnant.

Après l'éblouissement, le ciel était redevenu noir comme de l'encre.

Les trois jeunes filles glissèrent littéralement jusqu'à l'abbaye. Il n'y avait pas âme qui vive.

Levant les yeux vers le toit de la maison d'été, elles aperçurent un oiseau de pierre à chaque coin. Tracy avait raison.

La pluie tombait en cascade de la gouttière cassée.

— Alors ? dit Belinda. Est-ce que ce sont des pies, oui ou non ? Mes lunettes sont trop mouillées pour que j'y voie quelque chose.

— Ce sont bien des pies ! dit Holly. J'en suis certaine.

— Alors, qu'est-ce qu'on fait ? On entre ?

Elle jeta un coup d'œil vers les fenêtres, fermées par des croisillons de planches ; la porte était également cadenassée.

— Vous croyez qu'on y va quand même ? demanda-t-elle, incertaine.

Elles firent le tour du bâtiment. Toutes les fenêtres étaient bloquées sauf une dont les clous étaient tombés. Les planches bâillaient.

Tracy tira sur l'une d'elles, qui céda. Les autres furent encore plus faciles à retirer, et la jeune fille se faufila par l'ouverture.

— Qu'est-ce que tu vois ? demanda Holly.

— Pas grand-chose. Il fait très sombre, là-dedans. Mais...

Elles entendirent un grattement bizarre.

— Tracy ?

Du bruit leur parvenait de l'intérieur, puis la voix de leur amie s'éleva :

— C'est bon. Venez. Vous pouvez passer par le même chemin. C'est facile.

Tracy s'était arrangée pour élargir le passage par lequel elle s'était faufilée. Holly la suivit. Belinda regarda l'ouverture d'un air dubitatif, puis leva les yeux vers la pluie diluvienne.

— Attendez-moi, cria-t-elle.

Debout, dégoulinantes, les trois amies regardaient la pièce sombre et poussiéreuse. Elles appuyèrent leurs parapluies contre le mur. Une petite mare se forma immédiatement sur le sol crasseux. Quelques rares meubles apparaissaient sous des linceuls de poussière. Le papier peint se décollait des murs tachés. L'odeur de moisi était presque étouffante.

— Pas très excitant, tout ça, dit Belinda. Qu'en pensez-vous ?

A chaque pas, elles soulevaient d'énormes nuages de poussière et faisaient gémir le vieux plancher.

— Je ne m'attendais quand même pas à trouver le tableau accroché à un mur, mais j'espérais quelque chose d'autre, dit Holly. Nous devons chercher plus à fond.

Le bâtiment était petit — trois pièces.

— Venez voir par là, appela Holly.

D'immenses tapis, roulés et empilés les uns sur les autres, couvraient le sol de la troisième pièce.

— Ne comptez pas sur moi pour y toucher, dit Belinda. Ils puent.

— Nous devons fouiller méthodiquement, reprit Holly.

Elle souleva l'un des tapis qui se délita désagréablement dans ses mains.

Une échelle double était posée contre un mur.

— Regardez ! dit Tracy.

Elle montrait une trappe qui se découpait dans le plafond.

— Ce doit être l'unique accès au grenier.

— Si tu réfléchis une seconde... commença Belinda.

Un énorme coup de tonnerre noya la fin de sa phrase.

Holly et Tracy tirèrent l'échelle, la placèrent sous la trappe et la déplièrent.

— Holly, dit encore Belinda. Sois raisonnable !

— Mais c'est l'endroit rêvé pour cacher quelque chose, répondit cette dernière. Nous devons aller voir là-haut.

Tracy grimpa la première et poussa la trappe.

— Je ne peux... pas... tout à fait... Hou, là !

La trappe s'ouvrit complètement, manquant lui faire perdre l'équilibre.

— Attention ! s'écria Holly.

Belinda se cachait les yeux.

— C'est bon, reprit Tracy.

Les deux amies la regardèrent gravir les derniers échelons et disparaître par l'ouverture.

— A quoi ça ressemble ? cria Holly.

— Il fait sombre et c'est vraiment très sale.

Holly escalada l'échelle à son tour.

Lorsqu'elle passa la tête par la trappe, l'odeur de moisi devint encore plus forte. Malgré l'obscurité, elle apercevait la silhouette de Tracy qui crapahutait à quatre pattes, non loin d'elle.

Holly se sentit poussée par derrière.

— Avance ! grogna Belinda. Je veux voir, moi aussi.

La jeune fille se hissa complètement dans le grenier pour que son amie puisse la suivre.

— As-tu trouvé quelque chose ? demanda-t-elle à Tracy.

— Je ne pense pas que l'on découvre quoi que ce soit ici. De plus, je commence à être vraiment dégoûtante.

Holly rampa sur le côté pour laisser encore plus de place à Belinda.

— Faites très attention, prévint Tracy. Le plancher n'a pas l'air très solide.

— On aurait dû prendre une torche, remarqua Belinda. Je n'y vois rien.

Elle tendit la main et, utilisant l'épaule de Holly, réussit à se mettre debout.

— Ouf !

Un éclair zébra le ciel. La détonation assourdissante qui s'ensuivit fit trembler la vieille bâtisse.

C'est alors qu'elles entendirent l'autre bruit... Le sinistre craquement du plancher...

— Belinda ! hurla Tracy. Fais bien attention à ce que tu fais !

— Ce n'est pas moi, protesta la jeune fille. C'est...

Le craquement s'amplifia, emplissant l'espace. Holly et Tracy assistèrent, impuissantes, à la chute de leur amie. Dans un hurlement, Belinda disparut à travers le trou béant...

10

L'intrus

— Belinda !

Holly attrapa un pan du manteau de son amie mais sa prise était trop mince et elle lui échappa des mains.

— Mon Dieu ! murmura Tracy, atterrée.

Un épais nuage de poussière les enveloppait.

Elles entendirent le bruit sourd de la chute, puis plus rien.

— Belinda ? cria Holly.

Elle se penchait dangereusement au-dessus du trou, essayant d'apercevoir son amie.

— Est-ce que ça va ?

Aucune réponse.

— Vite ! s'écria Tracy. Allons voir.

Ce ne fut pas chose facile que de redescendre l'échelle, à reculons, surtout en anticipant la scène qu'elles allaient découvrir.

Belinda était assise, légèrement hébétée, au milieu de la pile de tapis, le visage gris de poussière. Son manteau disparaissait littéralement sous les éclats de bois. Elle toussait et éternuait en essayant d'enlever les échardes de ses cheveux.

— Comment ça va ? demanda Holly.

— Où sont mes lunettes ? répondit-elle.

— Au diable tes lunettes ! Est-ce que tu as mal quelque part ?

Belinda entreprit de remettre de l'ordre dans ses vêtements.

— Je ne crois pas, répondit-elle enfin.
Elle descendit péniblement de ce réceptacle improvisé.
— Ouille !
Holly ramassa les lunettes et les lui tendit.
— Ouf ! dit Belinda. Elles ne se sont pas cassées.
Puis, elle leva les yeux vers le trou du plafond et ajouta :
— Pour ma prochaine cascade, je descendrai les chutes du Niagara dans une soupière.
— Espèce d'andouille ! fit Tracy. Tu m'as fait la peur de ma vie.
— Désolée ! Ouille ! J'ai mal partout. De qui venait cette idée stupide ?
— Je crois que nous ferions mieux de sortir d'ici, dit Holly.
— Qu'est-ce qu'on va faire pour les dégâts ? demanda Tracy.
Toutes trois levèrent la tête vers le plafond. Le trou était énorme.
— Vous croyez que quelqu'un va le remarquer ? demanda Belinda.
— A mon avis, oui, dit Holly. Nous devrions peut-être aller voir les propriétaires pour leur avouer notre petite intrusion.
— Nous devrions au moins aller voir David, fit Tracy.

Elles ressortirent par la même fenêtre. Il pleuvait toujours à verse, mais les nuages noirs s'étaient éloignés. Le plus fort de l'orage était passé.
Ouvrant leurs parapluies, elles pataugèrent jusqu'à l'abbaye.
— J'espère que David comprendra, dit Holly. Je n'aime pas tellement qu'on me crie après.
— Je suis sûre que oui, dit Tracy.
Elles contournèrent le bâtiment pour entrer par la grande porte.
La femme assise au guichet les regarda avec effarement.
— Vous êtes vraiment courageuses d'être venues par un temps pareil ! s'écria-t-elle.

Puis elle aperçut le manteau dégoûtant de Belinda et ajouta :
— Mais... que vous est-il arrivé ?
— Rien. Des bêtises ! répondit la jeune fille. Vous savez, le genre de chose que l'on fait quand on est mouillée.
— Pourrions-nous voir David Taylor ? demanda Tracy.
— Ah ! Vous êtes des amies de David ? Attendez. Je vais voir si je peux le trouver. Essayez de ne pas trop mouiller le tapis, s'il vous plaît. Il est ancien et de grande valeur !
Les trois amies retournèrent attendre le jeune homme dans le hall.
Ce dernier arriva cinq minutes plus tard.
— Mais vous êtes trempées ! s'exclama-t-il.
— Vraiment ? railla Belinda. Comment est-ce possible ?
David éclata de rire.
— Excusez-moi. C'est une remarque stupide. Si vous venez pour la promenade en ballon, j'ai bien peur qu'elle ne soit reportée à un jour plus clément. Par contre, que diriez-vous de quelque chose de chaud ? Un café ?
— Avec grand plaisir, si cela ne dérange pas, dit Tracy.
— Bien sûr que non. A cette heure-ci, je donne souvent un coup de main pour les visites. Mais comme vous pouvez le constater, il n'y a pas foule. Venez. Je vais vous montrer certains endroits qui ne sont pas accessibles aux touristes.

Elles abandonnèrent leurs parapluies et leurs manteaux mouillés à l'entrée. David leur fit faire le tour de la maison — les pièces débordaient de meubles anciens et de riches décorations ; les vitrines regorgeaient d'argenterie étincelante, et les lits à baldaquin étaient garnis de lourdes tentures brodées ; des portraits de toutes époques s'alignaient en rangs serrés sur les lambris des couloirs.
— Maintenant, je vous emmène là où nous habitons, mon père et moi, leur dit-il.
Ils grimpèrent à l'étage supérieur et franchirent une lourde porte de chêne qui ouvrait sur un espace spacieux et chaleureux.

— Mon père n'est pas ici en ce moment. J'ai l'appartement pour moi tout seul.

— Tu es responsable de tout, ici ? demanda Holly.

— Pas vraiment. C'est une compagnie privée qui s'occupe des visiteurs, de l'entretien et de la gestion. Je donne simplement un coup de main aux heures de pointe, pour les visites guidées. Asseyez-vous et faites comme chez vous. Je reviens dans une minute.

La pièce était somptueuse, tapissée de rouge sombre et garnie de larges et moelleux canapés.

— Pas mal ! dit Tracy en se laissant tomber sur l'un d'eux.

David revint très vite, un plateau dans les mains.

— Hum ! fit Belinda. Les fameux scones à la crème.

Tracy éclata de rire.

— Tu as fait une heureuse !

— Nous devons t'avouer quelque chose, dit Holly, gravement.

— A voir ta mine, ça a l'air sérieux, répliqua le jeune homme. Qu'avez-vous donc fait ?

Holly lui conta leur mésaventure dans la maison d'été, complétant son récit par l'histoire de la broche de la grand-mère de Samantha. Le fameux troisième indice.

Lorsqu'elle se tut, il était songeur, sourcils froncés.

— Nous sommes terriblement désolées pour les dégâts que nous avons causés, dit Holly.

— Ne vous en faites pas, dit-il en secouant la tête. Ce vieux bâtiment aurait dû être démoli depuis longtemps. Par contre, il aurait pu s'écrouler sur vous. Vous auriez dû m'en parler avant.

— C'est vrai, reconnut Tracy. Excuse-nous.

— Cela ne me dérange pas que vous enquêtiez ici, reprit David. Mais j'aurais pu vous éviter de la peine. Cet endroit a été fouillé dans ses moindres recoins pendant des années. Si quelqu'un y avait caché ne serait-ce qu'un timbre-poste, on l'aurait retrouvé. Les gens ont même arraché les lattes du plancher.

— Nous qui étions si sûres de nous ! s'écria Holly. On dirait que nous sommes revenues à notre point de départ.

Néanmoins, il y a encore la piste de la broche de Samantha. Étais-tu au courant de cela ?

— Non... répondit le jeune homme, une expression songeuse sur le visage, les yeux rivés sur le tapis. Je l'ignorais.

— Quelque chose ne va pas ? demanda Holly.

David releva les yeux et secoua la tête.

— Non. Je ne crois pas... Non. Ce n'est rien. Rien d'important. Mais je ne pense pas que vous ayez beaucoup de chances en suivant la piste des pies. Regardez.

Il désignait une sculpture sur l'encadrement de la porte.

— Vous voyez ?

Parmi les volutes enchevêtrées, les jeunes filles découvrirent deux pies magnifiquement sculptées.

— Si vous observez bien l'abbaye, vous verrez qu'il y en a partout, reprit David. La pie était l'emblème de la famille Bastable. Le vieil Hugo en a fait sculpter dans toute la maison.

— C'est certainement la raison pour laquelle la Dame Blanche lui a offert une broche en forme de pie.

— La mystérieuse Dame Blanche... Ce serait bien si nous pouvions découvrir qui elle était ! Alors nous pourrions retrouver le tableau et...

Il leva la tête, réalisant subitement qu'il parlait à voix haute.

— Ne reste-t-il donc aucune trace de son passage ici ? demanda Holly. Quelque chose que Hugo Bastable n'aurait pas détruit ?

David haussa les épaules.

— Nous pouvons toujours regarder. J'ai une idée. Les visites vont s'arrêter dans peu de temps. Pourquoi n'en profiterions-nous pas pour faire une fouille en règle, tous les quatre ? Peut-être que l'un d'entre nous verra quelque chose que personne n'avait encore jamais remarqué avant. Ensuite, je vous reconduirai chez vous.

— Je préfère prendre le bus, si cela ne te fait rien, dit Belinda. A moins que tu ne me jures que tous les rats du domaine ont été exterminés.

David fronça les sourcils.

— Ah, oui ! Le rat...

— En as-tu attrapé d'autres ? demanda Tracy.

— Non. Pas encore. Je vais leur dire qu'ils peuvent fermer un peu plus tôt aujourd'hui. Je ne serai pas long.

Moins de dix minutes après, il était de retour.

— C'est fait, dit-il. Nous avons les lieux pour nous seuls, maintenant. Allons voir si nous pouvons découvrir quelque chose sur la Dame Blanche.

La visite de la vieille abbaye se révéla fascinante. David en connaissait aussi bien l'histoire que les moindres recoins. Il leur raconta de nombreuses anecdotes, tandis qu'ils passaient de pièce en pièce.

— Le tableau original de la *Dame Blanche* était accroché ici, leur dit-il, les faisant entrer dans une pièce de l'aile est.

Machinalement, Belinda regarda par la fenêtre.

— Il y a quelqu'un qui est en train de se faire drôlement mouiller, s'écria-t-elle.

David regarda par-dessus son épaule. Une pâle silhouette courait au fond du parc, à peine visible dans l'ombre du crépuscule.

— C'est bizarre, dit-il. Il ne devrait plus y avoir personne dans le domaine.

— Peut-être est-ce quelqu'un qui s'était abrité de la pluie et qui s'est retrouvé enfermé à l'intérieur, suggéra Tracy.

— Qui que ce soit, il ne pourra pas ressortir de la propriété sans les clés, dit David. Je ferais mieux d'aller voir.

Holly regarda sa montre.

— Zut, s'exclama-t-elle. Vous avez vu l'heure ?

Le temps s'était littéralement envolé pendant qu'ils visitaient la maison. Il était presque sept heures.

— David, je dois vraiment partir. Mes parents m'attendent probablement déjà à la maison, en se demandant ce que je suis en train de faire.

— De toute façon, on a fini le tour des lieux. Je vais aller vous ouvrir les grilles et, en passant, nous récupérerons le retardataire afin qu'il puisse sortir. Les murs ont plus de trois mètres de haut... pas moyen de les escalader.

Elles retournèrent à l'entrée reprendre leurs manteaux, encore humides. La pluie s'était un peu calmée ; le vent ne leur envoyait plus qu'un fin crachin dans les yeux.

Ils approchaient des grilles.

— Est-ce que vous l'apercevez ? demanda David. Il devrait être dans le coin.

— Là ! cria Tracy. Regardez. Le voilà.

Ils perçurent un mouvement rapide au milieu des arbres, à droite du portail. Juste une ombre qui se glissait dans le sous-bois.

— Hé ! cria David. Vous, là-bas !

La silhouette se fondit dans l'obscurité.

— Je n'aime pas ça, fit le jeune homme. Restez ici, je vais voir ce qu'il trafique.

Il s'élança vers le bois.

— Suivons-le, dit Tracy. Il aura peut-être besoin de notre aide.

Elle démarra en trombe derrière lui.

— Tu es folle, cria Belinda. Reviens. C'est sûrement dangereux !

— Nous ne pouvons pas la laisser seule, intervint Holly. On y va.

Les deux amies s'élancèrent à leur tour.

Sous les arbres, la pluie ne tombait plus qu'en grosses gouttes lourdes. Le sol était meuble. Plus d'une fois, Holly se tordit les pieds et faillit s'étaler. Il était difficile de voir quelque chose dans la semi-obscurité du couvert. Tracy était déjà hors de vue, mais elles entendaient toujours la voix de David.

— On va se rompre les os, s'écria Belinda, glissant sur le parterre de feuilles.

C'est alors qu'elles entendirent le hurlement de Tracy.

Holly piqua un sprint, se dirigeant droit sur un arbre au tronc gigantesque. Subitement, elle dérapa, entama une glissade incontrôlée et heurta de plein fouet une vague forme humaine. C'était l'inconnu. Le coup l'envoya valdinguer un peu plus loin et elle entra alors en collision avec Belinda. Toutes deux s'écroulèrent dans la boue.

Comme elle reprenait son équilibre, Holly vit Tracy repartir au galop.

L'homme courait vers le portail. Malgré l'obscurité, Holly vit nettement l'aigle sur le dos du blouson de cuir.

Lorsque Tracy sortit du couvert, l'homme avait déjà grimpé le long de la lourde ferronnerie de bronze et sauté de l'autre côté des grilles. Quant à David, on ne l'entendait plus.

Pantelante, Tracy resta près des grilles, les yeux rivés sur l'homme qui s'enfuyait sur la route. Holly la rejoignit enfin.

— Où est David ? demanda Tracy. L'inconnu va nous échapper si nous n'ouvrons pas cette porte immédiatement.

Holly regarda autour d'elle. Elle aperçut Belinda mais toujours aucun signe du jeune homme.

Frustrée, Tracy frappait rageusement sur les barreaux. L'homme était déjà loin, déjà pratiquement hors de vue. Elles avaient peu de chances de le rattraper, maintenant.

Mais où était donc passé David ?

11

Le secret de David Taylor

— Peut-être qu'il a été blessé, s'écria Tracy, anxieuse.

Elle fouillait le bois des yeux, à la recherche d'un signe de vie.

— Et que fait-on pour l'inconnu ? demanda Belinda, en gesticulant vers la route.

Le mystérieux intrus avait disparu.

— Tu le poursuis si tu veux, dit Tracy. Moi, je pars à la recherche de David.

Elle s'élança vers les arbres en criant son nom.

Belinda secoua la tête, appuyée contre les grilles.

— Je n'en peux plus, avoua-t-elle. Je suis vannée.

— Eh bien, moi, je vais voir où en sont Tracy et David, décida Holly.

Elle les trouva presque instantanément. David était assis, le dos calé contre un arbre, un mouchoir plein de sang collé sur le visage. Tracy était penchée sur lui.

— Mon Dieu ! s'écria Holly. Est-ce qu'il t'a gravement blessé ?

David leva les yeux.

— Il ne m'a rien fait du tout, protesta-t-il. Je ne l'ai même pas approché. J'ai simplement glissé et je me suis cogné la tête sur une pierre ou sur un tronc d'arbre.

Il tapota son nez sanguinolent puis se releva en s'appuyant sur l'épaule de Tracy.

— Qui était-ce ? demanda-t-elle.

— Je ne sais pas.

— Moi, je sais, coupa Holly. Il se nomme Barney. Du moins, c'est comme cela que Harry Owen l'appelle.

Le jeune homme la fixa, incrédule.

— Mais de quoi parles-tu ?

Holly lui raconta la conversation qu'elle avait surprise dans le jardin du presbytère entre Harry Owen et l'homme qu'il appelait Barney.

— Si j'étais toi, je ne fricoterais pas trop avec cet Owen, conclut-elle. Je ne pense pas qu'il soit très honnête.

Les yeux de David s'étrécirent.

— Et si j'étais toi, je me mêlerais de mes propres affaires. Tu ignores de quoi tu parles.

— David ! intervint Tracy. Ce n'est pas la peine de te mettre en colère.

— Je crois que si, au contraire. De toute évidence, Mademoiselle croit que je suis mêlé à des combines malhonnêtes. Pour ta gouverne, sache que j'ai acheté ma voiture à Harry Owen et que le jour où tu nous as vus ensemble, j'étais allé me plaindre de son mauvais état.

— Oh ! s'exclama Holly, surprise. Je l'ignorais.

— Bien sûr ! Alors à ta place, je prendrais d'abord mes renseignements, au lieu de parler sans savoir.

Holly piqua un fard.

— Je ne voulais pas t'offenser. Néanmoins, il s'agissait bien de l'homme que j'avais déjà aperçu avec Harry Owen.

— Tu as vu son visage ? demanda David.

— Non. Mais il portait le même blouson de cuir.

— Crois-tu sérieusement que ce Barney est le seul homme au monde à avoir un blouson de cuir avec un aigle sur le dos ? Excuse-moi, mais tu as trop d'imagination.

— Oh, je t'en prie ! Je ne suis pas stupide.

— C'est toi qui le dis !

— Écoute, ça suffit ! s'écria Holly, de plus en plus énervée.

— Dites donc, vous deux ! Vous avez fini de vous disputer ? intervint Tracy.

Elle fixa David.

— Holly ne voulait pas dire que tu étais mêlé à quoi que ce soit de malhonnête. Mais si tu as des problèmes, peut-être que nous pourrions t'aider ?

— Je n'ai pas de problèmes, rétorqua-t-il. Et je n'ai pas besoin d'aide.

En silence, ils se dirigèrent vers les grilles. En les voyant s'approcher, Belinda leur cria :

— Est-ce que tout va bien ?

Puis, elle remarqua leurs visages boudeurs.

— Quelque chose qui cloche ?

Sans un mot, David ouvrit les grilles.

Alors que les trois amies grimpaient la côte, Belinda réitéra sa question.

— Mais qu'est-ce qui se passe ? Vous vous êtes disputés ?

— T'occupe ! coupa Holly.

Belinda jeta un regard interrogateur à Tracy. Celle-ci secoua la tête.

Le voyage de retour fut lugubre. Elles entraient dans Willow Dale lorsque Belinda osa reposer sa question.

— Vous pourriez me dire ce qu'il se passe ?

— Il me prend pour une idiote, murmura Holly. Parlons d'autre chose, tu veux ?

— Es-tu vraiment sûre que c'était le même homme ? insista Tracy.

— Quel homme ? demanda Belinda. Est-ce que quelqu'un va enfin me mettre au parfum ?

— Holly pense que l'intrus était l'homme qu'elle a déjà vu avec Harry Owen, dit Tracy.

— Je ne *pense* pas que c'était lui, coupa Holly. Je suis *sûre* que c'était lui. Et je suis également sûre que David le savait aussi.

— Qu'est-ce qui te fait dire ça ?

— Tu ne l'as pas entendu ? Il a parlé d'un aigle sur le dos du blouson de l'homme, alors qu'il venait de dire qu'il ne l'avait même pas approché. Dans ce cas, comment pouvait-il savoir qu'il y avait un aigle sur le blouson ? Je ne l'ai mentionné à aucun moment.

— Donc, il l'a forcément vu, dit Tracy. Je crois que nous devrions retourner lui parler... lorsque vous serez calmés, tous les deux.

Le voyage s'acheva dans un silence pesant.

Cette nuit-là, Holly ne dormit pas très bien. Elle ne cessait pas de penser au fait que David leur avait menti à propos de ses relations avec Harry Owen. Aurait-il réagi aussi violemment pour une simple histoire de voiture ?

Mais alors... s'il y avait plus, dans quel guêpier avait-il bien pu se fourrer ?

Le lundi matin, les filles eurent une bonne nouvelle en arrivant au lycée : M. Barnard était de retour.

Holly, qui traversait le parking des professeurs, perdue dans ses pensées, l'aperçut alors qu'il sortait de sa voiture. Elle le rejoignit rapidement.

Son visage était toujours bleu et un peu enflé mais il était souriant. Il hocha la tête en lui montrant la pile de copies qu'il tenait sous le bras.

— Chaque chose a du bon, dit-il. Au moins, cet arrêt forcé m'aura permis de corriger vos devoirs.

— Avez-vous aimé mon exposé sur la Dame Blanche ? demanda-t-elle.

— J'aurais préféré que vous traitiez moins la légende au profit du tableau lui-même, répondit-il. J'avais demandé un essai sur l'histoire, n'est-ce pas ?

— Mais vous m'aviez dit que je devais raconter pourquoi je l'aimais, dit Holly. Et dans ce tableau, ce que je préférais, c'était son histoire.

M. Barnard se mit à rire, frottant doucement sa paupière douloureuse.

— Match nul. Au fait, avez-vous retrouvé la copie de la toile ?

— Oh, oui ! Elle n'avait pas disparu. Quelqu'un l'avait empruntée. Elle est de nouveau dans votre placard. Comment vous sentez-vous ?

— Beaucoup mieux.

— Est-ce que la police a abouti à quelque chose dans son enquête ?

Le professeur la regarda curieusement.

— Que voulez-vous dire ? De quelle enquête parlez-vous ?

— Celle sur votre agresseur.

Une expression d'inquiétude traversa le visage de M. Barnard.

— Ah, cela ? Non. Les chances de le retrouver sont vraiment très minces.

— En avez-vous donné une bonne description ?

— Pour être tout à fait franc avec vous, Holly, je l'ai à peine vu. Il est arrivé par derrière et j'étais à terre avant même d'avoir pu réaliser ce qui se passait. Mais en parlant d'enquête, comment se passe la vôtre ?

Elle lui raconta tout ce qu'elle savait sur la broche en forme de pie. Cependant, elle ne mentionna ni leur recherche infructueuse dans la maison d'été, ni le rôle qu'avait joué Samantha Tremayne. Cette dernière n'aimerait certainement pas que son histoire soit connue de tout le lycée.

— On dirait que vous avez bien progressé, dit M. Barnard. Continuez, et je ne serais pas surpris que vous découvriez le trésor.

— Vous le croyez réellement ?

— Absolument ! Cette peinture est forcément cachée quelque part.

Ils pénétrèrent dans le hall. Le portrait de Winifred Bowen-Davies les regardait sévèrement.

— Je ferais mieux d'aller voir Mlle Horswell, maintenant, dit M. Barnard en souriant à Holly. Bonne continuation.

— Le plus bizarre, dit Holly, c'est que M. Barnard n'ait pas été capable de fournir une description détaillée de son agresseur à la police, parce qu'il a été attaqué par derrière.

Les trois amies s'étaient retrouvées dès la première pause du matin.

— Qu'est-ce que ça a de si étrange ? demanda Belinda. Ce n'est pas spécialement marrant de se faire casser la figure, que je sache !

— Mais c'est là le hic. Comment peut-il avoir le visage amoché à ce point-là, s'il a été attaqué par derrière ?

— On a dû l'assommer, dit Tracy, puis il a heurté le sol ou quelque chose de dur en tombant.

— Peut-être, concéda Holly. Néanmoins, c'est le genre de bleus que l'on attrape lorsque l'on reçoit quelques solides coups de poing dans la figure. Cela me semble quand même bizarre qu'il n'ait pas vu son agresseur.

— Ça ne m'étonne pas que tu aies voulu monter un Mystery Club, dit Belinda. Tu vois des mystères partout — d'abord David aux prises avec de grands criminels, et maintenant tu soupçonnes M. Barnard. Est-ce que la Dame Blanche ne t'occupe pas suffisamment l'esprit ?

Holly se mit à rire.

— Je sais. J'ai l'imagination fertile.

— En parlant de David... fit Tracy. Je voulais retourner à l'abbaye cet après-midi ; juste pour prendre de ses nouvelles. Est-ce que quelqu'un veut venir avec moi ?

Holly secoua la tête.

— Non merci, dit-elle. Je vais garder mes distances pendant quelque temps.

— Tu n'es quand même plus fâchée ? Pourquoi ne pas tout simplement oublier ses paroles ? Après tout, il nous a aidées dans nos recherches sur la *Dame Blanche*, et on ne sait jamais ce qu'on va encore découvrir là-bas.

— De toute façon, j'ai trop de boulot ce soir, répondit Holly. Vas-y avec Belinda si tu veux. Et si vous découvrez quelque chose, vous me le direz demain matin.

Holly n'était pas tout à fait sincère quant à sa prétendue soirée occupée. En dehors de ses devoirs scolaires, elle n'avait pas grand-chose à faire.

Elle dîna seule avec ses parents, Jamie étant resté chez son copain Philip. Les jeux vidéo de ce dernier attiraient les jeunes garçons de tout le voisinage. Holly ne voyait pratiquement plus son petit frère.

Son père lisait l'*Express*, le journal local édité par le père de Kurt Welford.

— Comme c'est intéressant! s'exclama-t-il. Il y a un article sur la bibliothèque. On va y exposer une série de vieilles photographies montrant Willow Dale au début du siècle. Nous pourrions y aller pour voir les différentes étapes de son évolution. Qu'en dites-vous? Ce devrait être passionnant. Les vieilles photos sont parfois fascinantes!

Plus tard, ce soir-là, Holly était assise dans sa chambre et regardait par la fenêtre. Peut-être qu'elle aurait dû aller à l'abbaye faire la paix avec David. Après tout, ce qu'il trafiquait avec Harry Owen ne la concernait pas. De plus, ce dernier était bien du genre à fourguer une voiture pourrie au premier pigeon venu. Néanmoins, cela n'expliquait pas son comportement au sujet de l'intrus, le mystérieux Barney. Que faisait-il à l'abbaye?

Holly soupira. Est-ce que son imagination la lâchait à son tour?

Elle décida de se remonter le moral en écrivant une longue lettre à Miranda et à son autre grand ami de Londres, Peter Hamilton, un mordu de voitures anciennes. Elle allait lui parler de la vieille décapotable pétaradante de David et de l'histoire du rat dans la boîte à gants. Ça l'amuserait sûrement.

Elle venait de coller ses deux enveloppes lorsque la porte de sa chambre s'ouvrit.

— J'ai emprunté Devil Riders à Philip, annonça Jamie. Tu viens jouer avec moi?

— Je n'aime pas les jeux vidéo.

— Mais il faut être deux, supplia l'enfant. Je ne peux pas y jouer tout seul. Allez, viens! Juste une partie.

— Bon. D'accord. Mais vite fait.

Après tout, jouer à ce truc avec Jamie lui changerait les idées.

Pendant l'heure qui suivit, la chambre de Jamie retentit de zappings et de grincements, tandis que les Devil Riders traversaient l'écran à toute vitesse, faisant exploser les vampires extraterrestres avec les rayons laser de leurs armes montées sur leurs motos.

Le son était tellement fort qu'elle n'entendit pas le téléphone.

Soudain, la tête de son père apparut à la porte.

— C'est pour toi, dit-il. Une certaine Tracy.

Holly se rua dans les escaliers.

— Tu devrais faire attention avec ces jeux vidéo, lui dit encore son père. On y prend vite goût !

— Je l'avais remarqué. On a encore dix millions de vampires à massacrer avant que la planète ne soit saine et sauve.

Elle lui fit une grimace et ajouta :

— Je ne pensais pas que j'aimerais un jour les jeux vidéo, mais je dois dire que celui-ci est plutôt marrant.

Son père lui tendit le combiné.

— Holly ? C'est toi ? fit la voix de Tracy. Écoute, il s'est passé quelque chose de vraiment bizarre.

— Quoi ?

— Nous sommes allées à l'abbaye, comme prévu. Je viens juste de rentrer. Holly, tu ne vas jamais croire qui était là-bas avec David. Non seulement avec lui, mais elle lui tenait les mains — comme si elle était sa petite amie, ou ça en avait tout l'air.

— Qui ?

— Samantha Tremayne ! lança Tracy. Oui ! Samantha Tremayne était à l'abbaye avec David — et nous les avons vus... Holly, nous les avons vus qui s'embrassaient.

— Tu es sûre ? insista Holly. Je ne savais pas qu'ils se connaissaient.

— Et même plutôt bien, reprit Tracy. D'après ce que Belinda et moi avons pu voir, je dirais même qu'ils se connaissent très très bien... !

12

Un vrai travail de détective

Le lendemain matin, la première chose que fit Holly fut d'aller trouver Samantha. La surprise de la révélation de Tracy s'était changée en un sentiment de lassitude.

A quel jeu jouait la jeune fille ? Pourquoi ne lui avait-elle pas dit, dès le début, qu'elle connaissait David Taylor ? Elle lui avait parlé comme si sa famille détestait les Taylor et, pendant tout ce temps, elle était la petite amie de David. Et pourquoi ce dernier n'avait-il rien dit lorsqu'elle avait mentionné la broche ?

Quelques pièces du puzzle se mirent cependant en place : David attendant à l'extérieur du lycée l'après-midi où il les avait raccompagnées ; Samantha s'arrêtant au coin de la rue, les regardant, puis s'éloignant ; le regard étrange qu'elle leur avait lancé lorsqu'ils étaient partis.

David devait l'attendre ce jour-là. Mais pourquoi n'avait-il rien dit ? Quel était le grand secret ? Holly était déterminée à aller au fond des choses.

Elle croisa de nombreux élèves de la classe de Samantha, mais personne ne l'avait vue. Holly la chercha partout.

Enfin, à la bibliothèque, elle aperçut une tête blonde, familière, penchée sur un livre.

Samantha leva les yeux.

— Bonjour, Holly.

— Je n'aime pas qu'on se fiche de moi, attaqua cette dernière. Je veux savoir ce que vous mijotez, David Taylor et toi.

Samantha ouvrit de grands yeux.
— Que veux-tu dire ?
— On t'a vue avec lui à l'abbaye de Woodfree. A quoi vous jouez, tous les deux ? A nous semer des indices un par un, comme le petit Poucet, pour mieux vous moquer de nous ? C'est quoi, ce plan ? On est censées courir en tous sens comme des idiotes pendant que vous vous tenez les côtes ? C'est ça ?
— Mais pas du tout, répondit enfin Samantha. Franchement, Holly, tu ne comprends pas.
— Alors explique-moi, s'il te plaît. Vas-y, raconte. Je veux tout savoir. Je ne te lâcherai pas tant que tu ne m'auras pas dit la vérité.

— Je sors avec David depuis six mois, commença Samantha. Nous avons gardé cela secret pour que ma mère ne le sache pas. Elle déteste les Taylor et elle déteste le fait que nous devions nous battre pour payer les notes de la maison de retraite de ma grand-mère pendant qu'ils se pavanent dans l'abbaye. A l'entendre, on dirait que les Taylor nous l'ont volée ! Mais elle a été achetée par des hommes d'affaires. Le problème, c'est que le salaire que je gagne n'est pas suffisant pour couvrir toutes nos dépenses, alors David me donnait régulièrement de l'argent. Il voulait m'aider. Ma mère ne le sait pas. Mais la semaine dernière, j'ai découvert qu'il empruntait l'argent qu'il me donnait.
— Empruntait à qui ?
— A un prêteur sur gages. Un vrai requin. J'étais tellement fâchée lorsqu'il me l'a dit que nous nous sommes disputés. Mais le pire, dans tout cela, c'est que l'homme réclame son argent. Il le veut maintenant et David ne l'a pas. Et à cause de cela, nous avons failli nous séparer. Je croyais que je ne le reverrais plus jamais, mais je voulais essayer de l'aider. Parce que, sans moi, il ne se serait jamais mis dans de telles dettes. Tout est ma faute.
— Harry Owen ! murmura Holly. Il a emprunté de l'argent à Harry Owen.
Samantha secoua la tête.

— Je ne connais pas ce nom, dit-elle. Tout ce que je sais, c'est que David a des problèmes. C'est pour ça que j'avais pris votre copie du tableau. Je voulais la lui donner. Je pensais que, ensemble, nous pourrions trouver les indices et le tableau original de la *Dame Blanche*. Ensuite, David aurait pu le vendre et payer toutes ses dettes. Mais lorsque je lui ai téléphoné ce soir-là, il était tellement fâché qu'il n'a pas voulu me répondre... Je l'ai traité de fou furieux ! Alors je t'ai rapporté la toile et je t'ai raconté l'histoire de la broche, en espérant que tu lui en parlerais plus tard...

— Mais le tableau appartient au lycée, coupa Holly. Même si vous l'aviez trouvé, cela n'aurait pas pu aider David.

— Je sais. Mais il fallait que j'essaie de faire quelque chose. Je ne pouvais pas laisser la situation se dégrader entre David et moi. Ensuite, lorsque je l'ai vu dans la rue, l'autre après-midi, avec toi et les autres, j'ai su qu'il voulait me revoir. C'est pour ça que je suis retournée à l'abbaye, hier soir. Bien qu'il essaie de me le cacher, je sais que David a peur. Holly, il a été menacé très sérieusement. Ils vont lui faire du mal s'il ne rembourse pas et j'ai très peur pour lui.

— Il doit aller voir la police.

— C'est ce que je lui ai conseillé. Mais il craint qu'ils ne le tuent avant qu'elle ne puisse intervenir. Il m'a dit qu'il allait essayer de négocier avec eux. Ce soir, il doit rencontrer un homme.

Samantha avait l'air angoissé. Sa voix tremblait. Elle agrippa le poignet de Holly avec force.

— Je t'en prie, ne dis rien à personne !

— J'aimerais bien pouvoir faire quelque chose, dit Holly. Mais à moins qu'il ne soit prêt à aller à la police...

A cet instant, la voix de Steffie Smith éclata derrière elles.

— Tiens, tiens ! Mais qui vois-je ? N'est-ce pas notre célèbre journaliste ? Encore en train de mijoter un article inédit pour le *Winformation* ?

Holly la dévisagea froidement. La jeune fille s'était approchée aussi silencieusement qu'un chat.

— Tu as retrouvé ce vieux tableau ? demanda-t-elle, moqueuse.

— Non. Pas encore. Mais ne t'en fais pas. Lorsque ce sera fait, j'écrirai un article pour toi.

— Je ne vois pas pourquoi je m'inquiéterais, répondit Steffie. Ta dernière prose n'était pas si bonne. Je ne sais pas si j'éditerai autre chose venant de toi. A moins que tu n'apprennes à écrire correctement.

Holly la fixa durement.

— Si ma prose était aussi mauvaise que la tienne, rétorqua-t-elle, je pense que je serais la dernière personne à me permettre de critiquer les autres. Et si cela ne te dérange pas, j'ai mieux à faire que de rester là, à discuter avec toi.

Holly se leva et sortit de la bibliothèque, ne laissant à Steffie aucune chance de répliquer.

Ce soir-là, les membres du Mystery Club se réunirent dans la chambre de Holly. Le principal sujet de conversation n'était plus la recherche du tableau volé, mais les problèmes de David Taylor avec Harry Owen.

— Si cet homme se balade en menaçant les gens, dit Tracy, nous ferions mieux de faire quelque chose à ce sujet. Il y a des lois pour lutter contre ces gens-là.

— Tu crois que nous devrions prévenir la police? demanda Belinda.

— Nous devrions au moins essayer de convaincre David de le faire, répondit Holly. Samantha a dit qu'il devait revoir Owen ce soir, pour discuter avec lui. Mais si ce que j'ai entendu dans le jardin du presbytère est vrai, ce n'est pas Owen qui est aux basques de David — c'est Barney.

— Tu crois que David le sait? demanda Tracy.

— Bien sûr que oui. C'est pour ça qu'il était sur la défensive l'autre soir à l'abbaye. Il connaissait parfaitement l'intrus. Je m'en suis doutée dès le début; sinon, comment aurait-il pu deviner que le blouson de cuir avait un aigle sur le dos?

Belinda porta la main à sa bouche, horrifiée.

— Nous lui avons probablement évité une bonne raclée, dit-elle.

— Il faut agir, reprit Tracy. Nous devons trouver le moyen d'aider David.

Elle arrêta d'un seul coup de faire les cent pas dans la pièce.

— Écoutez, les filles : David doit voir cet Owen ce soir, n'est-ce pas ? Eh bien, pourquoi ne pas l'intercepter sur le chemin ? Nous pourrions essayer de le convaincre d'aller voir la police. Qu'en dites-vous ?

Elle interrogea Belinda du regard.

A son tour, Belinda se tourna vers Holly.

— C'est une idée.

— Nous devons être rapides, reprit Tracy. Nous devons partir maintenant si nous voulons arriver chez Owen avant que David n'y soit.

— Alors allons-y, dit Holly, attrapant son manteau. Saisissons notre chance de faire un vrai travail de détective.

— J'espère qu'il n'est pas trop tard ! s'exclama Holly.

Les trois amies patientaient dans la grand-rue, au croisement du passage où Holly avait vu David discuter avec Harry Owen, la première fois.

Le temps s'était amélioré depuis le week-end, mais il y avait encore de gros nuages et le vent qui s'engouffrait dans les rues étroites était glacial.

— Croisez les doigts, les filles, fit Tracy en inspectant la rue.

— Pas de problème, répondit Belinda. J'ai même croisé mes orteils.

Elle jeta un coup d'œil à sa montre. Elles attendaient depuis une bonne demi-heure et toujours aucun signe de la vieille décapotable de David.

— Vous ne croyez pas qu'il est venu et déjà reparti ? demanda Holly.

— J'en doute, dit Tracy. L'abbaye ne ferme pas avant cinq heures et demie. Même s'il partait dès la fermeture, il ne pourrait pas être ici avant six heures. Ce n'est que la demie, maintenant. Soyez patientes, les copines. Il va venir, j'en suis sûre.

Holly enfonça les mains dans les poches de sa veste et se

dirigea vers le croisement pour jeter un coup d'œil dans la ruelle. Une voiture bleue était garée juste devant l'entrée d'Owen. Elles n'y avaient pas prêté attention, guettant celle de David.

Au moment où Holly se penchait, elle vit le jeune homme monter dans la voiture.

— Quoi? s'écria-t-elle, attrapant ses amies par le bras. Regardez!

Tandis qu'elles se précipitaient, l'étrange véhicule bleu démarra et disparut.

— Mais ce n'est pas sa voiture! s'exclama Tracy. D'où sort celle-ci?

— Zut! On l'a loupé, s'écria Belinda. Il était là tout le temps et nous sommes restées plantées ici comme trois idiotes.

— Pire! reprit Holly. J'ai vu cette voiture arriver sans même penser à regarder quelle tête avait le conducteur. Quelles brillantes détectives nous sommes!

Elles se dévisagèrent, confuses.

— Et maintenant, qu'est-ce qu'on fait? demanda Belinda.

— Je vais là-bas, dit Tracy. Je veux jeter un coup d'œil sur cette maison.

— Ne sois pas bête, dit Holly. Owen risque de te voir.

— Et alors? Il ne me connaît pas. Tu es la seule qu'il ait jamais vue. Je veux savoir s'il y a quelque chose sur la porte qui puisse nous donner une idée de son identité.

— Tracy! souffla Holly. Arrête!

Trop tard : la jeune fille descendait déjà la rue à grandes enjambées, se dirigeant vers la porte.

— On ne peut pas la laisser y aller toute seule, décréta Belinda, en lui emboîtant le pas.

Inquiète, Holly décida de se joindre à ses deux amies.

Tracy se penchait vers la boîte aux lettres.

Juste à cet instant, la porte s'ouvrit et la jeune fille faillit plonger, tête baissée, dans le sombre corridor.

Holly attrapa vivement Belinda par la manche et la tira hors de vue, dans le renfoncement d'une porte cochère, à quelques mètres de celle qui venait de s'ouvrir.

— Que voulez-vous ?

Holly reconnut la voix rauque de Harry Owen. Elle se plaqua encore plus contre le mur, espérant qu'il ne regarderait pas dans leur direction. Puis elle entendit la voix de Tracy, pleine d'aplomb :

— Bonjour. Je fais un projet pour mon lycée et je me demandais si vous accepteriez de répondre à quelques questions sur le système éducatif de la région.

— Quel culot ! murmura Belinda.

— Chut ! souffla Holly. C'est lui.

Subitement, une voix familière, venue de nulle part, cria son nom.

— Holly Adams !

Holly sursauta. C'était Steffie Smith. La jeune fille se tenait au croisement et fixait le coin où elle se tenait tapie avec Belinda.

— Je veux te parler !

Steffie s'approchait lentement, marchant en plein milieu de la rue.

— Dis donc, qu'est-ce que tu fais là, terrée dans ce trou à rats ? Encore sur la piste de ce stupide tableau ?

Holly lui lança un regard féroce.

— Fiche le camp ! grinça-t-elle.

— Ne me parle pas sur ce ton. Nous avons quelques détails à régler, à propos de ce que tu m'as dit ce matin. Je sais que tu m'évites, espèce de poule mouillée. Tu as peur, n'est-ce pas ?

Holly jeta un coup d'œil par-dessus son épaule. Harry Owen la fixait, sourcils froncés. Tracy s'était immobilisée, bouche bée.

Enfin, il la reconnut.

Il repoussa la jeune fille et s'approcha de Holly, les lèvres serrées.

— A quoi est-ce que vous jouez ? C'est vous qui étiez ici avec le jeune Taylor, l'autre jour, n'est-ce pas ? gronda-t-il.

Il regarda Tracy, les deux autres filles, puis ses yeux froids revinrent se poser sur Holly.

— Est-ce que vous cherchez des ennuis ? demanda-t-il, grimaçant. Parce que, dans ce cas, vous avez frappé à la bonne porte.

13

Steffie sauve le coup

— Un instant, intervint Steffie, fixant le colosse droit dans les yeux, les mains fermement posées sur les hanches. J'étais la première, si cela ne vous dérange pas!

Une onde de surprise passa sur le visage d'Owen. Ce dernier n'avait manifestement pas l'habitude qu'on lui parle sur ce ton.

— Vous, fermez-la, rétorqua-t-il. A moins que vous ne cherchiez aussi des problèmes.

Ses yeux restaient rivés sur Holly, sa bouche était tordue par un rictus de colère.

— Je vous ai trop vue traîner dans les parages. A quoi jouez-vous? Est-ce le jeune Taylor qui vous a demandé de m'espionner?

Tracy, qui accourait vers eux, intervint stupidement :

— David ne sait même pas que nous sommes ici.

— Tracy! s'écria Belinda.

Owen hocha la tête d'un air entendu.

— Alors c'est *David*, maintenant?

Il eut un rire très déplaisant — rauque, qui semblait lui arracher la gorge. Il fixait toujours Holly.

— Votre petit copain s'est très mal comporté et je n'aime pas que l'on m'espionne. Vous lui direz de ma part...

— Excusez-moi, monsieur! coupa Steffie. Je n'aime pas votre attitude et si vous ne partez pas immédiatement, j'appelle mon père. Il est juste là. (Elle désigna le croisement.) Et pour votre gouverne, sachez qu'il est le chef de la police du comté. Je suis sûre qu'il sera très heureux de discuter avec vous à propos de vos menaces.

Harry Owen lança à Steffie un regard meurtrier, laquelle ne broncha pas. Puis ses yeux se reportèrent une fois de plus sur Holly.

— Dites de ma part à Taylor que ce petit épisode m'a fait changer d'avis. Dites-lui simplement ceci : Qu'Owen a changé d'avis.

— Je ne vois pas ce que vous voulez dire, répondit la jeune fille.

— Ah, non ?

Il secoua la tête.

— Que vous compreniez ou non, ça n'a pas d'importance. Transmettez-lui simplement mon message.

Et il fit demi-tour, écartant sans ménagement Tracy qui se trouvait sur son passage. Une fois devant sa porte, il se retourna et cria :

— Ne l'oubliez pas !

La porte se referma violemment.

— Mais pour qui il se prend ? s'exclama Steffie.

— Ton père n'est pas policier, coupa Belinda. Il travaille dans une boucherie.

— Exact. Mais cette face de rat l'ignorait.

Elle dévisagea Holly et haussa les sourcils.

— Je crois que nous finirons notre conversation en privé, une autre fois. En attendant, je ne peux pas dire que le choix de tes amis soit très flatteur !

— Ce n'est pas un ami, dit Holly. Néanmoins, merci de l'avoir fait fuir.

— Je ne l'ai pas fait pour toi, mais je déteste que l'on m'interrompe. Je n'en ai pas encore fini avec toi, Holly Adams ! Notre petit entretien est simplement ajourné.

Sur ces mots, elle tourna les talons.

Les filles la regardaient, ébahies.

— Ça alors ! dit Belinda, hilare. Quelle surprise ! Tirées d'affaire par Steffie Smith. Tu vas devoir noter ça dans le magazine, Holly.

— Cela n'est pas drôle du tout, répliqua cette dernière. Nous aurions pu avoir de sérieux problèmes.

— Mais je ne savais pas qu'il allait me sauter à la gorge, s'écria Tracy.

— Et admettre que nous connaissions David, ajouta Belinda. C'est une gaffe qui a failli nous coûter cher.

— Vous plaisantez ! s'exclama Tracy. Dès que Steffie est intervenue et qu'il a repéré Holly, il a tout compris ! Que croyez-vous qu'il veuille dire par : changé d'avis ?

— Voilà ce qu'on récolte à vouloir aider David ! dit Holly. On n'a fait qu'aggraver les choses. Ils avaient probablement trouvé un terrain d'entente, et maintenant notre intervention a tout fichu par terre. S'il lui arrive quelque chose, cela sera notre faute.

De toute évidence, elles devaient très vite prévenir David. Hélas, leurs appels téléphoniques restèrent sans réponse. En fin de compte, Holly proposa d'aller voir Samantha pour lui raconter ce qui était arrivé et lui demander de contacter David.

Le lendemain matin, avant les cours, elles partirent à la recherche de la jeune fille, laquelle demeura introuvable.

Holly alla finalement se renseigner auprès de son professeur principal. Lorsqu'elle revint vers Tracy et Belinda, elle avait de mauvaises nouvelles.

— La mère de Samantha a téléphoné pour l'excuser. Elle ne viendra pas. Il semblerait que sa grand-mère soit au plus mal.

— Qu'est-ce qu'on fait alors ? demanda Belinda.

— Je pense qu'il va falloir aller à l'abbaye, après les cours, dit Holly.

— Je ne peux pas, s'écria Tracy. J'ai promis d'aider ma mère à la garderie.

— Moi non plus. Je dois rentrer tôt à la maison, dit à son tour Belinda. Mon père doit partir en voyage d'affaires et ma mère va devenir folle si je ne suis pas là pour lui dire au revoir.

— J'irai donc seule, soupira Holly, résignée. Je vais dire à

Jamie de prévenir mon père que je rentrerai un peu plus tard, ce soir.

La journée lui parut interminable. Elle aperçut ses amies à la sortie, au moment où elle se dirigeait vers l'arrêt de bus.

— Sois prudente, lui cria Tracy.

— Naturellement ! Et si je ne le trouve pas, je lui laisserai un message.

Holly s'installa confortablement et admira le paysage. Elle n'avait pas très envie de revoir David. Ils ne s'étaient pas reparlé depuis leur dernière dispute et, maintenant, elle allait devoir lui dire que leur rencontre avec Harry Owen avait ruiné l'accord qu'il avait pris avec lui. Ce n'allait pas être une conversation des plus agréables.

Au guichet, Holly s'enquit de l'endroit où se trouvait le jeune homme.

— Il est dans la vieille grange, lui répondit-on. Il joue encore avec cette montgolfière. Il y a passé toute la journée.

Les anciennes écuries étaient des bâtiments vétustes, situés dans un creux du domaine, à l'écart de l'abbaye. David transportait de lourds containers de gaz, en compagnie de deux amis.

— Bonjour, dit-elle. Puis-je te parler ?

David se redressa et l'entraîna à l'extérieur.

— Je suis heureux que tu sois venue, dit-il. Je voulais m'excuser pour ce que j'ai dit l'autre soir.

Holly sourit tristement.

— Tu vas peut-être changer d'avis après avoir entendu ce que je vais te dire.

Ils s'installèrent sur un gros tronc d'arbre et Holly lui raconta tout ce qui était arrivé : la conversation qu'elle avait surprise dans le jardin du presbytère entre Harry Owen et l'homme nommé Barney ; Samantha qui lui avait parlé de l'emprunt qu'il avait fait pour elle ; enfin, la fâcheuse rencontre avec Harry Owen, la veille au soir.

David était prostré, la tête dans les mains.

— Je suis désolée, dit-elle. Nous essayions simplement de

t'aider. Nous voulions te parler avant que tu ne voies ce type. Nous guettions ta voiture.

— J'avais emprunté celle de Robert, dit-il doucement en se passant les mains sur le visage. Viens avec moi. Je veux te montrer quelque chose.

Il l'entraîna vers une autre bâtisse et ouvrit les portes en grand. Sa vieille décapotable s'y trouvait.

Il lui montra les pneus. Tous les quatre avaient été déchiquetés.

— C'était encore un autre avertissement. C'est ce qui m'a décidé à aller voir Owen.

Il eut un rire bref, sans joie. Son visage était devenu extrêmement pâle.

— J'avais réussi à conclure un marché avec lui. Il devait me prêter suffisamment d'argent pour solder ma dette... A deux cents pour cent d'intérêt. Cela m'aurait pris des années avant de le rembourser, mais au moins, je n'aurais plus eu ce fou sur le dos. Alors que, maintenant, Owen ne veut plus m'aider, apparemment.

Il lança un regard amer à la jeune fille.

— Je t'avais bien dit de te mêler de tes affaires.

— Tu devrais prévenir la police.

— Oui. Et j'y gagnerai immédiatement un aller simple pour l'hôpital le plus proche.

Il frappa du poing le coffre de sa voiture, puis s'y appuya lourdement.

— J'essayais juste d'aider Samantha, ajouta-t-il. Oh! ce n'est pas ta faute, je ne te blâme pas. Owen est un escroc et j'ai été stupide. J'avais tellement envie d'obtenir cet argent et de solder ma dette que je n'avais pas vraiment réalisé les intérêts que j'allais devoir payer en échange. Si cet autre type n'avait pas été si pressé, j'aurais même pu y faire face sans ce deuxième emprunt.

— Qu'est-ce que tu comptes faire? demanda Holly.

— Je pourrais quitter la ville, dit David. Fuir.

Il se retourna et regarda au loin, par-delà le vallon.

— Ne t'en fais pas pour moi. Je me suis mis dans le pétrin, je m'en sortirai bien.

— Pourquoi ne pas prévenir la police? insista la jeune fille. C'est certainement la meilleure chose à faire.
— Tu ne sais pas de quoi est capable ce Barney. Tu as vu ce qu'il a fait à ma voiture? Comment crois-tu qu'il soit entré dans la propriété, de nuit? C'était l'un des avertissements de Barney. La prochaine fois, il m'enverra à l'hôpital. Je dois partir d'ici. Je crois que je peux gagner encore quelques jours. Le temps de trouver une solution.
Puis, devant l'air angoissé de Holly, il ajouta :
— Ne t'inquiète pas. Barney ne m'aura pas. Et demain après-midi, Robert et moi devons faire une virée avec le *Diable Rouge*.
— Je ne comprends pas comment tu peux penser à cela, vu la tournure que prennent les événements, répliqua Holly.
— Nous avons des groupes de visiteurs qui viennent exprès pour cela, dit David en sortant du bâtiment. Nous ne pouvons pas décevoir notre clientèle. Je comprendrais que tu refuses, mais cela me ferait très plaisir que tu reviennes demain avec tes amies. Vous pourriez faire cette fameuse promenade en ballon que je vous avais promise, et vous pourriez me raconter où vous en êtes dans votre enquête sur la *Dame Blanche*.
— Cela nous semble secondaire, maintenant.
— Il ne faut pas, reprit David. Si je découvrais le tableau, je filerais le vendre pour payer mes dettes. Exactement ce que comptait faire le vieux Roderick il y a des années.
— C'était également l'idée de Samantha, mais le tableau appartient au lycée, lui rappela Holly.
— Je sais. Je plaisantais. Écoute, pendant que tu es ici, pourrais-tu m'accorder une faveur?
— Tout ce que tu veux.
— Rien à voir avec ce dont nous parlions, reprit David. Viens dans la maison avec moi. Je ne veux pas aller en ville maintenant pour tomber... accidentellement sur ce fameux Barney. Mais j'ai promis de donner certaines choses à la bibliothèque.

Ils cheminèrent jusqu'à l'abbaye.

— Savais-tu qu'on y organise une exposition de vieilles photographies de la ville?

— Oui, répondit Holly. Mon père m'en a parlé.

— J'ai accepté de leur prêter certains de nos vieux albums. Personne ne les a ouverts depuis des années mais il doit y avoir des photos intéressantes. Si je te les confie, voudras-tu les emmener là-bas pour moi?

— Bien sûr.

Elle suivit le jeune homme dans ses appartements privés, puis feuilleta les pages parcheminées, admirant les images jaunies par le temps.

On y voyait Willow Dale, plus de cent ans auparavant, et de nombreux portraits de gens rigides, sérieux et solennels qui fixaient l'objectif.

Subitement, Holly s'arrêta, intriguée par une série de photos sépia de jeunes femmes vêtues de noir.

— Qui est-ce? demanda Holly en désignant l'un des portraits.

— Aucune idée, fit David. Comme je te l'ai dit, personne n'a regardé ces albums depuis fort longtemps.

— Quel dommage qu'il n'y ait pas de légende sous chaque photo!

Elle se mit à étudier de plus près cette rangée de femmes au regard fixe.

— David, souffla-t-elle. Regarde! Là... Je connais ce visage.

Le jeune homme se pencha par-dessus son épaule.

— Tu l'as peut-être vu dans un film d'horreur. Elle a l'expression la plus sévère de toutes. On dirait que sa mâchoire va se décrocher si elle sourit.

— C'est presque le même visage que celui de la Dame Blanche, dit Holly, dévisageant David, perplexe. Elle est plus âgée que sur le tableau, mais je jurerais que c'est elle.

— Attends une minute.

Tout doucement, il fit glisser la vieille photographie hors de son cadre de papier et la retourna.

Sur l'arrière, quelques mots étaient écrits d'une encre

brune presque effacée : Winifred Bowen-Davies, Directrice de l'école de jeunes filles.

Ils se dévisagèrent.

— Est-ce que tu réalises ce que cela signifie ? s'écria David. Si tu as vu juste, cela veut dire que la Dame Blanche était l'un des professeurs de ton lycée.

— Cela collerait parfaitement, dit Holly, le souffle court. Après avoir été la gouvernante des enfants de Hugo Bastable, elle a fort bien pu devenir maîtresse d'école.

La sonnerie du téléphone retentit. Le jeune homme alla répondre. Holly scrutait toujours le visage solennel de l'inconnue.

— Oui, dit David. Je comprends.

Puis il reposa le combiné.

Lorsqu'il revint, il était blanc comme un linge.

— Que se passe-t-il ?

— Je dois sortir, dit-il, la voix cassée.

— C'était lui ?

— Il veut me rencontrer.

— Tu devrais aller à la police.

David hocha la tête.

— D'accord, je vais y aller, mais avant, je te raccompagne.

Holly prit les albums de photos et se dirigea vers la voiture que David avait empruntée. Ils regagnèrent la ville en silence.

— Bonne chance, lança-t-elle lorsqu'il la déposa.

David lui fit un signe de la main. Elle suivit des yeux le véhicule qui s'éloignait, puis fronça les sourcils.

Même si Willow Dale ne lui était pas encore très familier, elle savait que le commissariat se trouvait dans le centre-ville.

Alors, pourquoi David se dirigeait-il vers les faubourgs ? Et s'il n'allait pas à la police, où se rendait-il donc ?

14

Le *Diable Rouge*

— Je suis certaine que David n'est pas allé au commissariat, dit Holly.

Elle avait attendu ses amies en dehors du lycée et leur avait raconté ce qui s'était passé la veille à l'abbaye, sans omettre le coup de téléphone de l'homme qu'elles appelaient Barney.

— Nous ne pouvons rien faire pour l'instant, dit Tracy. Soit il ira, soit il n'ira pas.

— Elle a raison, dit Belinda. Nous avons fait tout ce que nous avons pu.

— Je sais. Et je suppose que nous découvrirons assez tôt ce qui s'est passé, mais je ne peux pas m'empêcher de penser que c'est notre faute.

— Nous ne l'avons pas poussé à emprunter de l'argent, que je sache ! reprit Belinda.

— Est-ce que vous croyez qu'il va s'enfuir ? demanda Tracy. Cela ne servira sans doute pas à grand-chose.

— Je ne sais pas, dit Holly. Je ne vois pas ce qu'il pourrait faire.

La seule bonne nouvelle du moment, c'était l'indice que Holly avait découvert derrière la photo de la Dame Blanche.

— Mais cela me semble futile, dit-elle à ses amies. Rechercher un tableau volé alors que David est dans le pétrin !

— Mais comme nous ne pouvons pas faire grand-chose pour lui, dit Belinda en haussant les épaules, nous pouvons toujours continuer nos recherches pour le tableau. Au moins, ça nous changera les idées.

— D'accord ! On commence par où ? demanda Tracy.

— Je crois que nous devrions aller voir Mlle Horswell, décida Holly.

— Je dois avouer, s'étonna la directrice, que je suis impressionnée par votre persistance dans vos recherches.

Holly, Tracy et Belinda se tenaient devant son bureau. Elles venaient d'achever le récit de leur dernière découverte.

— Bien sûr, nous avons des registres où sont notés les noms de toutes les personnes qui ont enseigné ici. Mais que vous soyez capables de les retrouver après tout ce temps est une autre paire de manches. Elles sont pour la plupart mortes depuis longtemps. Si la photo est aussi vieille que vous le dites, je doute qu'aucune de nos informations vous soit très utile.

— Mais pourrions-nous quand même feuilleter ces registres ? demanda Holly.

— Sans problème.

Lorsqu'elles quittèrent le bureau de la directrice, Belinda leur annonça :

— Vous réalisez, les filles, que cela implique une autre incursion dans cet affreux sous-sol ? Sans compter que ma mère va me tuer si je rentre à la maison aussi sale que si je sortais d'une mine ! Elle ne m'a pas encore pardonné d'avoir bousillé mon blazer, la dernière fois.

— Comme tu l'as si bien dit, fit remarquer Tracy, cela nous évitera de penser à David.

Elle regarda ses amies et leur demanda :

— On va à l'abbaye, cet après-midi ?

— Je pense qu'il le faudrait. Ne serait-ce que pour nous assurer qu'il va bien.

— Et pour faire une balade dans le *Diable Rouge*, si c'est toujours possible, ajouta Belinda, narquoise.

— David et Robert vont le faire décoller aujourd'hui, de

toute façon, dit Holly. Des groupes de touristes doivent débarquer à l'abbaye, exprès pour assister à la démonstration, et ils risquent de demander leur remboursement s'il fait beau et que la montgolfière ne décolle pas.

— Je ne vais pas rater l'occasion d'y monter, dit Tracy. Ce Barney ne pourra pas venir ennuyer David s'il se balade dans les airs. De plus, il y aura des tas de gens autour. Il sera certainement plus en sécurité dans le *Diable Rouge* que n'importe où ailleurs.

Elles dénichèrent d'impressionnantes listes de noms dans les épais registres noirs qui s'alignaient sur les étagères du sous-sol. Holly griffonna quelques noms dans le calepin du Mystery Club. Certains dataient du siècle dernier. Réduire la liste à un seul n'allait pas être une mince affaire.

— Ensuite, il nous faudra aller à la mairie, dit Holly. Ils ont sûrement des enregistrements qui nous aideront à retrouver la trace de la Dame Blanche, de l'endroit où elle a vécu, etc. On ne sait jamais, Roderick a pu cacher le tableau volé chez elle. Si nous avions son adresse, nous pourrions aller voir.

— Mais si elle était jeune du temps de Hugo, elle était certainement morte lorsque Roderick était dans les parages, dit Belinda. Vous ne croyez pas que vous êtes un peu trop optimistes ?

— Tu as de meilleures idées ? demanda Holly. J'essaie juste de suivre les indices.

— Rien d'autre ne me vient à l'esprit, avoua-t-elle. Mais nous n'avons pas encore décodé tous les indices. Nous ne savons toujours pas ce que représente le dessin sur le toit de la folie.

— Je vous parie tout ce que vous voulez que c'est le plan de la maison de la Dame Blanche, dit Holly. Attendez un peu... vous allez voir.

Une brise fraîche agitait doucement la cime des arbres tandis qu'elles cheminaient vers les hautes grilles de fer de l'abbaye.

— Bon sang ! Quelle foule ! s'exclama Belinda.

Le parking était plein à craquer. Des files de touristes serpentaient vers le sommet de la colline.

Les trois jeunes filles aperçurent bientôt le *Diable Rouge*. La brise leur apportait le ronronnement du gaz.

— J'espère qu'il n'y aura pas trop de vent, fit Tracy.

Le dirigeable était retenu au sol par une bonne douzaine de cordes, bien épaisses. Il oscillait gentiment ; l'air chaud dilatait progressivement la soie de la toile. La foule se pressait autour de la nacelle.

David enfonçait un dernier pieu dans l'herbe lorsqu'il les vit.

— Super ! s'écria-t-il. Je suis heureux que vous soyez venues.

— Que s'est-il passé au commissariat ? demanda Holly, à brûle-pourpoint.

David fit une grimace.

— Je t'en parlerai plus tard...

— Tu n'y es pas allé, n'est-ce pas ?

— Nous en parlerons à un autre moment, insista David. Je vais bien, ça se voit, non ? Tu peux constater que je suis entier.

Holly le regarda, soupçonneuse, mais il y avait trop de monde autour d'eux pour qu'elle tente de lui tirer les vers du nez... pour l'instant.

— Est-ce que le temps est favorable à une ascension en ballon ? demanda Tracy.

Elle regardait l'immense globe rouge qui tirait sur les cordages, comme un cheval piaffant.

— La météo annonce un ciel clair, dit David. Il y a un peu de vent mais cela ne devrait pas poser de problème. Dans dix minutes nous décollons. Venez avec moi pour que je trouve des casques à votre taille.

— Pas pour moi, s'écria Belinda. Je suis simplement venue en spectatrice.

— Ne sois pas aussi trouillarde, dit Tracy. Je ne manquerais cela pour rien au monde.

— Tu seras en parfaite sécurité, dit David.

— Dans ce cas, pourquoi avons-nous besoin de casques? J'imagine qu'ils ne nous seraient d'aucune utilité si nous tombions de cent mètres de haut.

— Personne n'est jamais tombé.

— Il faut toujours une première fois, murmura Belinda entre ses dents.

Elles suivirent le jeune homme sous un grand chapiteau. Le rugissement des flammes rendait toute conversation impossible.

Soudain, le bruit s'arrêta. David parlait avec un homme dans la nacelle. Il fit signe aux trois filles.

— Nous sommes prêts, dit-il. Tout le monde à bord.

Tracy grimpa la première.

— Super, dit-elle. Maintenant, à toi de jouer, Holly!

— Non. Attendez! Arrêtez! hurla Belinda tandis que Holly la saisissait par derrière et que Tracy se penchait pour lui attraper les bras.

— Tu viens avec nous, affirma Holly.

D'une secousse, elle poussa son amie et la fit basculer sur le bord de la nacelle.

Belinda s'y agrippait, luttant pour s'extraire de cette position inconfortable.

— Laissez-moi descendre, espèce de maniaques! cria-t-elle.

Elle se débattait énergiquement, mais la poigne de Tracy était solide.

— Tu ne te pardonnerais jamais d'avoir manqué une telle occasion, dit Holly en riant et en la hissant à bord. Tu nous remercieras plus tard.

— Certainement pas! gémit Belinda. Je vous tuerai.

Elle fit une dernière tentative pour s'échapper, mais ses deux amies la maintenaient fermement à l'intérieur.

David grimpa le dernier.

— Larguez les amarres! cria-t-il.

Déjà, des hommes s'activaient à dénouer les cordes.

— C'est une conspiration! hurla Belinda. On m'a kidnappée.

— Tiens-toi tranquille, dit Tracy, et mets ce casque.

— Holly Adams, je ne te pardonnerai jamais cela, dit-elle. Je savais que Tracy était folle à lier, mais je ne pensais pas que toi... Oh ! Au secours !

La nacelle s'inclina subitement. Belinda s'agrippa à Holly.

David éclata de rire :

— Il est trop tard pour redescendre, maintenant !

Les gaz fusèrent à nouveau dans le ballon.

— Vous aviez tout prévu, n'est-ce pas ? reprit Belinda. Vous deux. Vous tous.

— J'en ai bien peur, dit Holly.

Belinda se cacha les yeux avec les mains.

— Je sens que je vais être malade, les prévint-elle. Debout sur un dé à coudre, j'ai déjà le vertige, alors là... Je ne peux pas regarder en bas.

La montgolfière s'élevait majestueusement dans les airs, sous les cris de la foule. Tracy s'approcha du bord et agita la main vers les visages qui les regardaient.

— C'est fantastique ! murmura-t-elle.

— Ne te penche pas trop, prévint David. Nous n'aimerions pas te perdre. Robert ? Est-ce que tout se passe bien ?

— A merveille, répondit celui-ci, souriant à Belinda.

Cette dernière essayait de se cacher les yeux tout en maintenant son équilibre. Pour ce faire, elle devait parfois saisir le bord de la nacelle d'une main.

— Tu vois, dit Tracy en lui donnant une petite tape dans le dos. Qu'est-ce qu'on t'avait dit ? N'est-ce pas amusant ?

— Je ne regarde pas, fit Belinda. Préviens-moi simplement quand tout sera fini.

Les terres autour de l'abbaye rapetissaient à vue d'œil, s'étirant comme une immense maquette. Les gens devenaient microscopiques. Les routes ressemblaient à des rubans qui couraient à travers un patchwork de verdure, sur les collines de la paisible vallée.

Holly ouvrait grands les yeux, observant l'abbaye et ses dépendances qui se réduisaient jusqu'à devenir des jouets. Au loin, elle apercevait Willow Dale.

Robert arrêta les gaz. Le silence les enveloppa d'un seul coup.

— Que se passe-t-il ? grogna Belinda. Est-ce qu'on va s'écraser ?
— Ouvre les yeux et tu verras, dit David.
— C'est magnifique, dit Holly, la main en visière pour se protéger de la lumière du soleil. Je peux voir la patinoire. Regarde !
La brise les poussait vers la ville.
— Belinda, tu rates quelque chose d'incroyable. Regarde... C'est le cinéma. Tu peux tout voir d'ici.
La jeune fille ouvrit enfin les yeux.
— Est-ce que tu aperçois ma maison ? demanda Tracy, le doigt tendu. Elle devrait se trouver quelque part par là. Regarde, Belinda ! Et voici l'église.
Le ballon reprit de l'altitude et survola lentement la ville, son ombre ondulant sur les façades.
Belinda osa jeter un rapide coup d'œil en bas.
— Regarde ! s'écria-t-elle. Un bus. Waouuh ! C'est incroyable. Et regarde par là... c'est le lycée. Faisons signe à Mlle Horswell.
— Je croyais que tu avais le vertige, la taquina Tracy.
— Je le croyais aussi.
Belinda se pencha pour observer les rues et les maisons qui défilaient sous leurs pieds. Soudain, elle agrippa la manche de Holly.
— Holly ! hurla-t-elle.
— N'aie pas peur ! Tu ne vas pas tomber.
— Je sais, mais regarde. Regarde le lycée ! Tu ne remarques rien ?
Les trois filles se penchèrent vers le domaine.
— Quoi ? Que suis-je censée voir ? demanda Holly.
— Regarde la limite des terres autour du lycée, s'écria Belinda, excitée. C'est la même forme que celle du dessin sur la folie ! La même ! On a trouvé ! C'était le plan du lycée !

15

La confession de M. Barnard

— Vous voyez ! hurla Belinda, surexcitée. Vous voyez ? Le mur extérieur, les bâtiments, les courts de tennis, les allées — tout est exactement comme sur le dessin de la folie ! Nous avons enfin résolu le dernier indice !

— Mais comment Roderick aurait-il pu savoir à quoi ressemblait le lycée, vu d'en haut ? demanda Tracy.

— Il ne le savait pas. Il a dû chercher, comme moi, auprès de divers plans. Vous vous rappelez que la première fois que j'avais tracé le dessin, il ressemblait à une carte ? J'avais vérifié que ce n'était pas l'abbaye, mais je n'avais pas pensé à le comparer avec d'autres plans. Roderick doit avoir copié le dessin à partir du plan du lycée.

— Le lycée, murmura Holly. Bien sûr ! Tout concorde. Le tableau est caché quelque part à l'intérieur. Le vieux Roderick a dû le sortir de son cadre et le cacher sur place, pensant y retourner plus tard.

— Cela tient debout, dit Tracy. Il était conscient qu'il serait le suspect numéro un et que la police fouillerait sa demeure dès qu'on s'apercevrait de la disparition du tableau. Il devait avoir l'intention de le récupérer lorsque le calme serait revenu.

— Mais la police l'a arrêté pour escroquerie avant qu'il ne puisse venir le rechercher, dit David. Et il est resté là depuis lors. Ainsi tous ces gens qui ont hanté l'abbaye en étaient à des kilomètres !

Les trois jeunes filles firent le tour de la nacelle tandis que le dirigeable continuait son chemin.

Belinda se tourna vers David.

— C'est certainement une question très bête, dit-elle, mais comment allons-nous rentrer à l'abbaye ?

David eut un large sourire.

— On ne rentre pas. On ne peut qu'aller là où le vent nous pousse.

Belinda le regarda anxieusement.

— Mais pas de panique ! Robert sait ce qu'il fait. N'est-ce pas, Robert ?

— Je l'espère, répondit ce dernier, amusé. Vous ne serez probablement pas capables de le localiser maintenant parce que nous sortons de la ville, mais il y a un camion qui nous suit pour nous récupérer. Lorsque nous descendrons, il sera là pour nous ramener.

— J'espère que nous n'atterrirons pas au sommet d'un arbre, fit Belinda, inquiète.

— Je ne le crois pas. La vitesse et la direction du vent sont bonnes et, à moins que quelque chose d'inattendu ne se produise, nous atterrirons à Brooke's Field.

— Je connais l'endroit, reprit Belinda. C'est à plus de quinze kilomètres de la ville.

— Eh bien, on n'est pas encore rentrés ! s'exclama Holly. Tant pis ! Profitons-en pour admirer la vue, à moins que nous ne sautions en marche.

Le ballon dérivait doucement, laissant Willow Dale pour s'enfoncer dans la campagne. De temps à autre, Robert ouvrait les gaz pour maintenir une altitude constante.

— J'aperçois le camion, s'écria Tracy.

Un énorme poids lourd serpentait sur une route en lacet, juste au-dessous d'eux.

— Oui, dit David. C'est lui. Il va nous falloir un certain temps pour faire atterrir le *Diable Rouge* et pour le démonter.

Robert amorça leur descente en faisant sortir de l'air du ballon. Il tira sur une corde qui ouvrit le haut de l'enveloppe, laissant s'échapper l'air chaud.

Graduellement, ils perdirent de l'altitude.

— Nous allons atterrir ici, dit Robert en montrant un large périmètre de verdure. Attention, cela va secouer un peu. Tenez-vous à quelque chose.

— Je n'ose pas regarder, dit Belinda.

Les derniers mètres semblèrent s'approcher terriblement vite ; l'herbe se couchait sous le souffle de leur déplacement.

— Accrochez-vous ! cria David.

Ils heurtèrent le sol une première fois, puis une seconde et une troisième. Lorsque Robert eut laissé s'échapper tout l'air résiduel, le ballon s'immobilisa enfin. Ils étaient saufs, sur le plancher des vaches.

Holly et ses amies aidèrent les garçons à plier la toile. Le camion ne tarda point et quatre jeunes gens en sautèrent et se partagèrent le plus gros du travail de rangement et le chargement de la montgolfière.

Pour le retour, ils durent se serrer. Holly, Belinda, Tracy et deux des garçons étaient installés à l'arrière, calés contre la nacelle.

Par une petite ouverture de la cabine, David leur demanda :

— Si nous vous déposons près de l'abbaye, est-ce que ça vous ira ? Vous devriez pouvoir rattraper un bus par là-bas. Qu'en pensez-vous ?

— C'est bon, répondit Holly. Ce sera parfait.

Les trois filles bavardaient, très excitées par leurs recherches futures dans les locaux de l'école.

— Roderick n'a pas dû avoir le temps de cacher la toile dans un endroit très compliqué, dit Belinda. Je veux dire, ce ne sera certainement pas derrière un mur de brique, ni sous un parquet, ni dans un truc de ce genre.

— Je parie qu'elle est dans le sous-sol, dit Tracy. Certaines pièces restent inutilisées pendant des années.

— Ou peut-être qu'il l'a glissée sous un tapis, suggéra Holly. Ou cachée sous les combles.

Le camion s'arrêta, les portes s'ouvrirent.

Les jeunes filles descendirent.

Ils s'étaient arrêtés sur la route principale, près du chemin en gravillon qui menait aux grilles de l'abbaye. De l'autre côté de la route, une voiture grise était garée.

Un homme en descendit et s'avança lentement vers le petit groupe.

Les filles le fixaient, médusées. C'était Tom, le frère de M. Barnard. Il avait les mains dans les poches de son blouson de cuir.

— Qu'est-ce qu'il fiche par ici ? murmura Tracy. Ouille ! Holly, tu me fais mal.

Les doigts de son amie s'étaient refermés sur son bras.

— Regarde le blouson, murmura-t-elle.

Tom Barnard passa à côté d'elles comme si elles n'existaient pas et vint se planter devant David. Elles purent admirer le dos du blouson tout à loisir.

— Alors tu es parti en virée ? dit Tom Barnard. Je croyais que nous avions un rendez-vous.

— Je vous ai dit que je vous verrais demain, répliqua David, la voix un peu tremblante.

— Je commence à m'impatienter.

A côté de David, Robert intervint.

— Est-ce qu'il y a un problème ?

— Non. Aucun.

Tom Barnard jeta à Robert un coup d'œil désinvolte.

— C'est exact, dit-il. Nous n'allons pas créer de problèmes ici, n'est-ce pas, David ?

Les quatre garçons se placèrent autour de David, comme pour le soutenir. Tom Barnard dévisagea chacun d'eux, lentement.

— J'ai un compte à régler avec M. Taylor, dit-il, froidement. Je ne crois pas que nous aurons besoin de votre aide.

Robert regarda son ami.

— David, est-ce que je peux faire quelque chose ?

Ce dernier secoua la tête.

— Non. Tout va bien.

Le jeune homme fixa Tom Barnard, les yeux dans les yeux.

— J'ai dit demain, répéta-t-il, fermement. Revenez

demain et nous réglerons cela. Rassurez-vous, vous aurez ce que vous voulez.

Un sourire glacial passa rapidement sur le visage de Tom Barnard.

— Je ne m'inquiète pas, dit-il. Je ne m'inquiète jamais. Je laisse cela aux autres. Vous voyez ce que je veux dire ?

— Parfaitement, répondit David, blanc comme un linge.

— Bien. Alors nous nous comprenons.

Il pivota et s'en retourna vers sa voiture. Holly relâcha enfin sa respiration. Sur le point de monter en voiture, Tom Barnard lança encore :

— Je reviendrai.

Il s'installa au volant et démarra.

— De quoi s'agit-il ? demanda Robert.

— Rien que je ne puisse gérer, répondit David. Prends le van et descends à l'abbaye. J'arrive dans une minute. Je veux juste dire un mot aux filles.

Holly attendit que le véhicule se soit éloigné.

— Barney, souffla-t-elle. C'était lui ! Le frère de M. Barnard !

— Le frère de M. Barnard, murmura Tracy. Je n'arrive pas à y croire. Pensez-vous qu'il soit au courant ? Pensez-vous qu'il connaisse les activités de son frère ?

— Vous le connaissez ? demanda David, incrédule.

— Son frère est l'un des professeurs de notre école, dit Belinda.

— Hier, tu devais aller à la police, est-ce que tu l'as fait ? interrogea Holly. Tu me l'avais promis.

David leva les mains en un geste d'impuissance.

— Je suis navré. J'avais vraiment l'intention d'y aller, mais, en fin de compte, j'ai eu trop peur de ce qui allait m'arriver. Non. Ce qu'il faut que je fasse, c'est que je parte d'ici.

— C'est de la lâcheté, dit Tracy.

— Oui, répondit David, amer, et je ne m'attends pas que vous me compreniez. J'ai peur de ce dont cet homme est capable et si cela me rend lâche, alors d'accord, je le suis.

Pâle et malheureux, il regardait les trois amies.

— Essayez au moins de comprendre, poursuivit-il. Qu'est-ce que je peux faire d'autre ?

— Tu sais très bien ce que tu devrais faire, coupa Holly, en colère.

Puis, regardant Tracy et Belinda, elle ajouta froidement :

— Je rentre.

David les suivit longuement du regard.

— Allons-nous rester les bras croisés ? demanda Belinda. On pourrait sûrement faire quelque chose.

— Tu l'as entendu, dit Tracy. Est-ce que tu as une idée ?

— Nous pourrions aller voir M. Barnard, s'écria Holly. Si David n'est pas prêt à affronter la police, je ne peux pas croire que M. Barnard ne remuera pas ciel et terre pour changer quelque chose.

— Et que se passera-t-il s'il est déjà au courant de tout cela ? dit Belinda.

Holly secoua la tête.

— Ce n'est pas possible. Je vais chez lui de ce pas pour lui parler de son frère.

— Holly ! s'exclama Tracy. J'espère que c'est une bonne idée. Et que ferons-nous si ce dernier est rentré directement chez lui ? Il y sera peut-être ?

— Si nous voyons sa voiture, nous laissons tomber et ne parlerons à M. Barnard que demain, répondit Holly.

Sur le chemin du retour, elles refrénèrent leur énergie. Malgré les oiseaux qui s'étaient mis à chanter sur leur passage, le soleil rasant qui étirait les ombres sous leurs pas, les trois filles ne ressentaient qu'un calme tout à fait apparent.

— La voiture n'est pas là, dit Belinda en frissonnant. Il n'est pas rentré. Néanmoins, je n'aime pas cela. Que ferons-nous s'il arrive pendant que nous sommes à l'intérieur ?

— Il serait fou de nous toucher, dit Tracy.

Holly prit son courage à deux mains et souleva le heurtoir.

— Espérons qu'il ne l'est pas complètement, conclut-elle.
La porte s'ouvrit.
Leur professeur les fixait, étonné.
— Nous voulons vous parler, annonça Holly, un peu plus froidement qu'elle ne l'aurait voulu. C'est au sujet de votre frère.
— De mon frère ? Comment diable...
— C'est un escroc, lâcha Tracy.
Il y eut un long silence.
— Entrez.
Elles se faufilèrent dans le couloir. Il referma la porte derrière elles et s'y adossa, dévisageant de ses yeux perçants les jeunes filles.
— Mais qu'est-ce que vous croyez pouvoir faire, en venant ici comme cela ? demanda-t-il.
— C'est la vérité, dit Tracy. Raconte-lui, Holly.
— J'ai surpris une conversation entre votre frère et un homme du nom de Harry Owen, commença la jeune fille, hésitante.
L'expression de M. Barnard passa de la colère à un profond embarras tandis qu'elle lui contait son histoire.
— Tout est vrai, dit Belinda. Chaque mot. David est réellement terrorisé par lui.
La main de M. Barnard se souleva pour toucher son œil blessé.
— Je comprends, dit-il enfin d'une voix grave. A qui d'autre avez-vous parlé de cela ?
— A personne, reprit Holly. Nous avons dit à David d'aller voir la police, mais il a trop peur de ce que votre frère pourrait lui faire. Alors nous avons pensé que vous pourriez l'aider.
Le professeur s'appuya plus lourdement contre la porte, les yeux un peu exorbités.
— Vous étiez au courant, n'est-ce pas ? devina Tracy. Vous saviez déjà tout cela.
— En partie, répondit M. Barnard. Mais pas tout.
Il les regardait, une expression de désespoir sur le visage.
— J'aurais préféré que vous ne découvriez pas cela,

avoua-t-il. J'espérais que Tom obtiendrait ce pourquoi il était venu et repartirait sans que personne le remarque. Il vient juste de sortir de prison. Il m'a dit qu'il avait besoin de rester quelque part le temps de régler une affaire avec un ancien collègue. Je savais que c'était quelque chose de malhonnête mais j'ignorais que cela impliquerait autant de gens. J'ai même essayé de me débarrasser de lui. Je lui ai dit de partir.

Il fit un geste vers son visage bleui.

— Je n'ai pas été attaqué, poursuivit-il. C'est Tom qui m'a fait cela.

Les trois filles eurent un mouvement de recul.

— Je ne voulais pas être mêlé à ses combines. J'étais soucieux de ma réputation et redoutais que l'on découvre que mon frère était un criminel.

Il secoua la tête, puis regarda les jeunes filles avec détermination.

— Mais je n'avais pas réalisé jusqu'où il était capable d'aller. Il faut l'arrêter. Je ne peux pas continuer à lui servir de couverture, c'est allé trop loin. Vous devriez rentrer chez vous, jeunes filles. Je vais appeler la police.

Il les raccompagna à la porte.

— Ne vous en faites pas, dit M. Barnard. Je m'en occupe. Mais je vous en prie, n'en parlez à personne. Laissez-moi régler cela. De plus, vous serez beaucoup plus en sécurité si Tom ignore que vous y êtes mêlées.

Les trois filles remontèrent l'allée, jusqu'à la route.

— Vous ne trouvez pas qu'il avait l'air malade ? dit Tracy.

— Est-ce que tu le blâmes ? s'écria Belinda. Je le serais aussi d'avoir un frère comme cela.

— Et moi qui pensais que le mien était un vaurien ! commenta Holly.

Ses deux amies la regardèrent en souriant.

Sans crier gare, Holly les attrapa et les tira violemment derrière un gros buisson. Elles suivirent son regard.

La voiture de Tom Barnard descendait lentement l'avenue.

— Tu crois qu'il nous a vues ? demanda Tracy.

— J'espère que non. Je l'espère vraiment.

Se penchant sur le côté, elle vit le véhicule s'arrêter devant la maison de leur professeur. La portière s'ouvrit et Tom s'avança dans l'allée.

— Je n'aimerais pas être à la place de M. Barnard en ce moment, ajouta Tracy.

— Filons d'ici, dit Belinda.

— Non, fit Holly. Attendez un peu.

— Pourquoi ? demanda Belinda.

— Je ne sais pas, une impression.

Elle sortit de la cachette en disant :

— Je crois qu'il ne faut pas le laisser tout seul.

— Mais nous ne pouvons rien faire, s'écria Tracy. Holly, reviens !

— Je veux juste m'assurer qu'il va bien, lança-t-elle.

Elle commença à redescendre l'avenue.

Ses deux amies se regardèrent, anxieuses, puis lui emboîtèrent le pas.

Elles n'étaient qu'à mi-chemin de la villa lorsqu'elles virent Tom Barnard ressortir à toute vitesse, grimper dans sa voiture et démarrer en trombe.

Holly piqua un sprint et alla frapper violemment à la porte.

— Monsieur Barnard, cria-t-elle. Est-ce que tout va bien ?

La porte s'ouvrit. Le visage de leur professeur était décomposé, mais il ne semblait pas blessé.

— Il est parti, murmura-t-il, et il ne reviendra plus. Il est parti pour de bon, maintenant. Tout est fini.

16

Enquête dans l'école

Le lendemain matin, Holly éprouvait un curieux sentiment de déception. Après les révélations de la soirée précédente, il lui semblait étrange de retourner en cours comme si de rien n'était.

Tom Barnard avait quitté la ville. David était sauf. Le Mystery Club le lui avait annoncé la veille par téléphone. Tout était bien qui finissait bien ! En principe...

Mais la jeune fille avait la vague impression que tout n'était pas encore fini.

Dès que M. Barnard avait annoncé à son frère que ses intentions criminelles étaient connues de tous et qu'il allait prévenir la police, ce dernier lui avait demandé de n'en rien faire, car il allait quitter la région. Il s'était précipité dans sa voiture et avait disparu. C'est en tout cas ce que leur avait dit leur professeur. Curieusement, Holly n'y croyait pas trop.

Si cela pouvait être aussi simple !

La jeune fille restait persuadée que la police aurait dû être mise au courant. Suffisait-il que Tom Barnard quitte la ville pour qu'il devienne honnête ? N'allait-il pas essayer de revenir en douce ?

Perdue dans ses pensées, elle ne vit pas arriver Tracy.

— Alors ? dit son amie, essoufflée d'avoir couru. Ne sommes-nous pas de brillantes détectives ?

Puis, remarquant l'air renfrogné de Holly, elle lui demanda :

— Ça ne va pas ?

— Si, mais je me serais sentie beaucoup mieux si la police avait bouclé Tom Barnard, plutôt que son frère ne le laisse filer comme ça. Qu'est-ce qu'il se passera s'il revient ?

— Tu as entendu ce qu'a dit M. Barnard. Il est probablement en Écosse à l'heure qu'il est, ou en route pour une destination inconnue. Nous l'avons fait, Holly ! Nous avons sauvé David ! Tu ne trouves pas ça super ?

Son amie lui fit un petit sourire, retrouvant enfin sa bonne humeur.

— Je crois que oui.

— Et maintenant, s'écria Tracy, le clou de l'affaire va être la découverte du tableau de la *Dame Blanche*. Allons chercher Belinda pour préparer notre prochaine action.

Levant les yeux vers les imposants bâtiments de l'école, elle déclama :

— Je sais que tu es là quelque part. Prends garde parce que nous allons te trouver !

Holly chassa ses idées noires, regarda autour d'elle et aperçut Belinda qui franchissait les grilles.

Tandis qu'elles bavardaient, la voiture de Mlle Horswell vint se garer sur le parking.

— Allons lui raconter notre dernière découverte, dit Tracy.

Elles se précipitèrent vers la directrice.

— Mademoiselle Horswell ! Est-ce que nous pourrions vous parler ? demanda Holly. C'est très important.

— Calmez-vous, jeunes filles. Et donnez-moi le temps d'arriver.

— Nous avons découvert quelque chose d'autre au sujet de la *Dame Blanche*, s'écria Tracy.

— Déjà ? J'aurais parié que vous passeriez plusieurs semaines, le nez plongé dans les registres.

— Mais ce n'est pas là que nous l'avons trouvé, intervint Holly. C'était juste un coup de chance, c'est tout.

— Pardon, coupa Belinda. Ce n'était pas de la *chance*. C'est moi qui l'ai remarqué.

— Remarqué quoi ? demanda Mlle Horswell.

— LA preuve que le tableau se trouve quelque part dans l'école, répondit Belinda.

La directrice ouvrit de grands yeux, incrédule.

— Je pense que vous faites erreur, reprit-elle. Venez dans mon bureau, nous serons plus tranquilles.

Chemin faisant, elles lui racontèrent leur promenade en ballon et tout ce qu'elles avaient vu depuis la nacelle.

Mlle Horswell les dévisagea longuement, l'une après l'autre.

— Bien que je sois encore très sceptique, dit-elle enfin, je dois reconnaître que vous semblez avoir mis le doigt sur quelque chose.

— Nous pourrions organiser une recherche en masse, dit Tracy, enthousiaste. Mettre toute l'école dans le coup et faire une grande chasse au trésor.

La directrice la regarda, alarmée.

— Je n'aime pas du tout cette idée, Tracy. Vous rendez-vous compte du chaos que créeraient six cents élèves fouillant librement les locaux ? Il n'y aurait plus une seule pierre debout. Si une fouille doit être faite, ce sera quelque chose de systématique et de très discret.

Elle posa les coudes sur son bureau et mit ses mains en coupe sous son menton.

— Je commence à me demander s'il ne serait pas plus sage d'informer les membres du conseil d'administration. Peut-être qu'un avis professionnel serait le bienvenu.

— Non ! s'exclama Holly. vous en prie, ne faites pas cela, mademoiselle !

Mais la directrice poursuivait, ne semblant pas gênée par l'interruption.

— A dire vrai, vos recherches m'amusaient parce que j'étais certaine que la toile ne pourrait pas être retrouvée, mais maintenant...

Elle leva les yeux vers les trois amies.

— ... Je crois vraiment que mes supérieurs devraient être prévenus, surtout s'il semble y avoir une chance de découvrir le tableau.

— Cela n'est vraiment pas sympa pour nous, mademoiselle, dit Tracy. Pas après que nous avons fait tout le travail. Donnez-nous au moins une chance.

Mlle Horswell lui sourit.

— Oui, je crois que vous le méritez. Je vais donc vous proposer un compromis. Vous avez ma permission pour continuer votre enquête pendant tout votre temps libre, aujourd'hui. De mon côté, je verrai les administrateurs du lycée. Ce qui se passera ensuite... ils en décideront.

— Une journée ? dit Tracy. Ne pourrions-nous avoir un peu plus que cela ?

— Je suis désolée mais c'est tout ce que je suis disposée à faire pour vous.

Devant leurs mines désappointées, elle ajouta :

— Ne vous en faites pas. Si les administrateurs montrent un quelconque intérêt dans ce que je leur dirai, je m'assurerai que vous soyez informées de leur décision. Maintenant, sauvez-vous.

Les trois jeunes filles s'apprêtèrent à quitter la pièce.

— Mais rappelez-vous, dit encore la directrice, je ne veux pas que ce lycée ressemble à un champ de foire. Gardez cela pour vous. Et si vous découvrez quoi que ce soit, venez me voir immédiatement. Est-ce clair ?

— Oui, mademoiselle, répondit Holly.

Elles restèrent un moment immobiles dans le hall.

— C'est toujours une erreur que de parler de nos projets aux professeurs, dit Belinda en secouant la tête. Ils ne supportent pas de vous laisser les rênes.

— Une misérable journée ! s'exclama Tracy, découragée. Même si le domaine faisait le quart de ce qu'il est, on ne pourrait pas le fouiller en une journée !

— Et on n'a même pas une journée ! renchérit Holly. L'heure de déjeuner, c'est tout ce que nous avons comme temps libre, aujourd'hui.

— Je suis sûre qu'elle nous laissera chercher après les cours de cet après-midi, dit Belinda. Cela nous donne un peu plus de temps.

— Et alors ? dit Tracy, amère. Deux heures de plus, à tout casser...

— C'est mieux que rien ! reprit Holly. Je vais aller trouver Jamie pour qu'il prévienne mes parents que je rentrerai tard ce soir.

Elle sourit à ses amies :

— Allez ! Regardez le bon côté des choses. Cela signifie que Mlle Horswell pense qu'il y a de grandes chances que le tableau soit retrouvé. Et si ce n'est pas par nous, ce sera quand même grâce à nous et à nos indices.

Elles espéraient voir Samantha pour lui donner des nouvelles de David et de la *Dame Blanche*, mais la jeune fille était encore absente.

— Je crois que nous devrions prendre des nouvelles de David, dit Holly. Je suis encore inquiète en ce qui concerne Tom Barnard.

— Il est parti, s'écria Tracy. David ne craint plus rien.

— Quand même... Je pense que nous devrions aller le voir, ce soir.

— D'accord, mais lorsque nous aurons fini notre enquête, reprit Tracy. Et comme nous aurons trouvé le tableau, nous pourrons lui annoncer la bonne nouvelle.

Elle adressa un lumineux sourire à ses amies.

— Il va penser que nous sommes des extraterrestres !

Pendant leur pause déjeuner, elles se réunirent pour mettre au point les détails de leur recherche.

— Éliminons les tiroirs, dit Belinda. Même roulé, il fait encore un bon mètre de long. Nous pouvons aussi partir du principe qu'il ne se trouve pas dans les endroits fréquemment utilisés.

Elles décidèrent de commencer par le sous-sol et passèrent leur heure de déjeuner à ratisser la poussière des vieilles pièces désertes. En vain ! La sonnerie de reprise des cours de l'après-midi retentit beaucoup trop tôt à leur goût.

— Nous avons encore cinq minutes avant l'appel, dit Holly. Profitons-en pour foncer dans les toilettes.

— Il faut le trouver aujourd'hui, insista Belinda, en regardant son reflet dans le miroir. Ma mère me tuera de revenir à la maison aussi sale, si je n'ai pas une super bonne raison.

A la fin des cours, elles se retrouvèrent et se mirent à déambuler dans la propriété.

— Peut-être qu'il est enterré quelque part ? suggéra Tracy. Quels étaient les mots de cette énigme, au fait ?

— Pour me trouver, regardez derrière moi, récita Belinda en se laissant tomber sur l'herbe. Je n'en peux plus. Nous devrions abandonner. Je suis fatiguée, sale, et je meurs de faim. C'est sans espoir. Que diriez-vous de laisser les administrateurs trouver tout seuls ?

Holly s'installa près de son amie.

— Je commence à penser que tu as raison.

Debout, les mains sur les hanches, Tracy se mit à les fustiger.

— Espèces de dégonflées ! *Moi*, je n'abandonne pas.

Ses yeux firent le tour des bâtiments.

— Venez, les filles. Un dernier coup d'œil par là-bas.

— Sois gentille, fit Belinda. Je suis vannée. Toi, tu vas regarder si ça te chante, mais moi, je ne peux plus mettre un pied devant l'autre.

Tracy lui lança un regard de pitié puis s'éloigna avec détermination.

— Je vois les gros titres d'ici, leur cria-t-elle. Un tableau volé découvert par Tracy Foster, une étudiante détective amateur hors pair.

— Elle est folle, dit Belinda en s'allongeant sur le dos. On lira plutôt : L'étudiante Tracy Foster s'est écroulée sous le poids du travail.

Holly suivit des yeux son amie.

— Nous devrions aller avec elle, Belinda. Un dernier effort avant que les gardiens ne ferment les lieux pour la nuit.

Belinda cilla derrière ses lunettes.

— Esclavagiste ! s'écria-t-elle.

Mais elle se remit sur ses pieds. Toutes deux se dirigèrent vers l'entrée du premier bâtiment.

Alors qu'elles erraient dans les couloirs à la recherche de Tracy, elles entendirent un bruit de pas.

Holly se retourna.

— Samantha !

— Dieu merci, vous êtes là, souffla cette dernière. Je vous ai cherchées partout.

— On m'avait dit que tu ne viendrais pas aux cours, aujourd'hui, dit Holly.

— J'étais auprès de ma grand-mère qui n'allait pas très bien, répondit Samantha. Mais elle se repose, maintenant. Cet après-midi, je suis allée à l'abbaye pour voir David, mais il a disparu. Holly, personne ne sait où il est. Alors, j'ai téléphoné chez toi et ton frère m'a dit que tu resterais tard à l'école. Je me disais que peut-être David t'aurait dit où il allait.

— Depuis combien de temps a-t-il disparu ? demanda la jeune fille.

— Ils ont dit là-bas qu'un homme était venu le chercher en début d'après-midi. J'ai peur qu'il ne lui soit arrivé quelque chose.

— Quel homme ? s'enquit Belinda.

— Je ne sais pas. Ils ont juste dit que c'était un homme dans une voiture grise. Mais il n'a pas dit où il allait.

Elle leur lança un regard désespéré.

— Nous devons faire quelque chose, supplia-t-elle.

— Tom Barnard, dit Holly. Je savais qu'il ne partirait pas aussi vite.

— M. Barnard ? s'écria Samantha. Qu'a-t-il à voir avec tout cela ?

Holly lui expliqua brièvement leurs découvertes de la veille.

— Nous devons aller trouver la police, décida-t-elle. David court peut-être un terrible danger.

— Nous pouvons appeler d'ici, dit Belinda. Il y a un téléphone dans le secrétariat.

Elles s'y précipitèrent, oubliant complètement le tableau volé.

— Oh, zut ! s'exclama Holly.

La porte du bureau était fermée.

— Il y a une cabine téléphonique dehors, dit Belinda. Allons-y.

Elles se précipitèrent vers les grilles. Le parking des professeurs était vide. Tout le monde était parti. Même les cours du soir étaient terminés.

— Et Tracy ? reprit Holly.

— Elle s'en sortira sans nous, dit Belinda. Le gardien ne va pas fermer maintenant. Nous reviendrons après notre coup de téléphone.

Elles allaient dévaler les escaliers de l'entrée, lorsque Holly les tira en arrière.

— Regardez ! souffla-t-elle.

Une voiture grise venait de se garer devant l'école. De leur cachette, elles virent trois silhouettes se faufiler dans les buissons, le long du mur d'enceinte. Quelques minutes après, elles ressortirent du couvert et s'approchèrent doucement des bâtiments, lançant des regards furtifs de droite et de gauche pour voir si personne ne les voyait.

— David ! s'écria Samantha.

— Avec Tom Barnard et Harry Owen, poursuivit Belinda. Qu'allons-nous faire, maintenant ?

Les trois hommes avançaient rapidement dans l'allée. La main de Tom Barnard tenait solidement l'épaule de David.

Holly se renfonça dans l'ombre.

Les hommes se dirigeaient droit sur elles. Les jeunes filles n'avaient aucune chance de s'échapper sans être vues.

17

Le dernier indice

— Restez cachées ! dit Holly, en s'aplatissant contre la porte.

Tom Barnard, Harry Owen et David approchaient. Elles pouvaient entendre leurs pas sur le gravier.

— Pas de panique ! dit Belinda. Ils ne nous ont pas vues. Venez vite ! Nous pouvons filer par derrière.

Samantha était recroquevillée contre le mur, les yeux écarquillés et la peur au ventre. Holly l'attrapa par le bras et l'entraîna, rasant les murs, dans le sillage de Belinda.

Une fois dans le couloir, elles se mirent à courir.

L'école avait deux issues de secours par bâtiment. Les filles se précipitèrent vers les doubles portes qui conduisaient sur les jardins.

— Et Tracy ? dit Belinda. On ne peut pas la laisser là.

— Elle peut être n'importe où, dit Holly. Nous n'avons pas le temps de partir à sa recherche.

— Je ne pars pas sans elle, reprit Belinda, en regardant vers l'étage. Allez-y. Je vous rattraperai.

— Belinda !

Mais son amie s'était déjà élancée dans les escaliers.

Samantha tira sur la manche de Holly.

— Viens ! dit-elle. Nous devons aller prévenir la police.

Elle se jeta au bas des marches. Holly courut derrière elle mais vit rapidement que Samantha ne venait pas à bout de la barre qui bloquait la porte.

— C'est fermé !

— Ce n'est pas possible...
— C'était ouvert, il y a cinq minutes, Holly.
— Le gardien, souffla Samantha, effrayée. Il est en train de tout verrouiller pour la nuit. Nous allons rester enfermées !
— Pas encore, reprit Holly. Il y a l'autre porte.
Elles dévalèrent l'escalier du sous-sol et galopèrent dans le long couloir qui traversait le bâtiment.
De l'autre côté, Holly remonta silencieusement les marches qui menaient au rez-de-chaussée, guettant le moindre bruit révélateur de la présence des trois hommes. Elle fit signe à Samantha de la suivre.
Mais, manque de chance, cette porte était également fermée. Holly se rua vers une fenêtre et vit le gardien qui enfourchait sa bicyclette et qui s'éloignait. Elle n'osa ni l'appeler ni frapper au carreau de peur d'alerter Tom Barnard ou Harry Owen.
Samantha était morte de frousse.
Holly s'acharna sur la fenêtre.
— Inutile d'insister, dit son amie. Les fenêtres de cet étage sont toujours verrouillées. Qu'allons-nous faire, maintenant ?
— Ils doivent être entrés dans le bâtiment maintenant. Nous allons pouvoir sortir par la porte de devant.
Tandis qu'elle se faufilait dans le couloir donnant sur l'entrée principale, Holly sentait son cœur battre la chamade. A chaque instant, elle craignait de rencontrer les bandits.
— Que sont-ils venus faire ici ? demanda Samantha.
— Je ne sais pas.
Le couloir formait un angle et elle s'arrêta pour jeter un coup d'œil prudent vers le hall d'entrée. L'endroit était désert. Seuls les portraits lui faisaient face, immobiles.
— Viens, souffla Holly.
— Je ne peux pas ! répliqua Samantha. J'ai trop peur.
— Il le faut. C'est la seule issue.
Elle attrapa le poignet de la jeune fille terrorisée et la tira derrière elle. Samantha essaya de se dégager.

— Lâche-moi, murmura-t-elle. Nous allons nous faire prendre.

Holly s'arrêta.

— C'est notre seule chance d'aider David, coupa-t-elle, en la regardant dans les yeux. Et aussi notre seule chance de nous échapper.

Samantha prit une profonde inspiration, ce qui lui donna le temps de ravaler sa peur. Puis elle hocha la tête.

Elles atteignaient à peine le hall, lorsque Holly entendit l'horrible bruit d'une clé que l'on tournait. Quelqu'un vérifiait la fermeture des portes. La jeune fille se précipita en avant.

Tout était fermé. Sans le vouloir, le gardien les avait bouclées à l'intérieur, en compagnie de deux dangereux malfaiteurs.

Holly s'accroupit et entrouvrit la boîte aux lettres. Par la fente, elle aperçut le gardien qui enfourchait à nouveau sa bicyclette. Il était déjà hors de portée de voix. Même si elle hurlait, il ne l'entendrait pas.

Elle se redressa et s'appuya contre le mur.

— Nous sommes enfermées.

Elle essayait de garder son calme, mais son cœur battait à tout rompre.

— Nous allons devoir casser une fenêtre.

— Non, attends, dit Samantha. Je sais où il y a un téléphone... Dans l'infirmerie.

— Où est-ce ?

— Au premier étage.

— Il faut risquer le coup. Nous allons appeler la police, puis rester cachées jusqu'à ce qu'ils arrivent.

Les deux jeunes amies parcoururent le couloir sur la pointe des pieds. Le silence était menaçant.

Holly entendit un léger bruit de pas provenant de l'étage du dessus. Elle se figea, le cœur battant, l'oreille aux aguets. Plus rien.

Les portes qui donnaient sur le premier étage étaient en verre. Elle jeta un regard prudent. Le corridor était vide. Son imagination devait lui jouer des tours.

Elle poussa la porte et fit signe à Samantha de la suivre.
A cet instant, une silhouette apparut à l'autre bout du couloir.
— Tracy! s'écria Samantha.
Inconsciente du danger, la jeune fille leur fit signe. Au moment où elle passait devant l'atelier d'arts plastiques, la porte s'ouvrit sur David. Holly n'avait donc pas rêvé. Il y avait bien eu du bruit.
Médusée, Tracy s'était immobilisée et dévisageait le jeune homme.
— David? Que fais-tu...
— Cours! cria Holly. Tracy, cours!
Trop tard. Tom Barnard bondit et l'attrapa par la manche avant qu'elle n'ait eu le temps de faire un geste.
Samantha se mit à hurler de terreur.
— Vous, venez par ici! ordonna Tom Barnard aux deux amies. Tout de suite!
Il resserra sa prise, emprisonnant Tracy.
Elles n'avaient pas le choix. Elles ne pouvaient se sauver et laisser leur amie à la merci de Tom Barnard.
Lentement, elles s'approchèrent.
Harry Owen apparut dans l'entrebâillement de la porte.
— Encore vous! gronda-t-il. Vous vous êtes mises en travers de mon chemin une fois de trop.
— Je suis désolé, leur dit David, le visage blanc comme de la craie.
— J'ai dû leur dire. C'était la seule façon de sauver ma peau. J'ai dû leur parler de la *Dame Blanche*. Ils ne vous feront pas de mal. Ils veulent juste le tableau.
Holly le fixa, incrédule. Il devait quand même réaliser que personne n'avait encore découvert la cachette du tableau disparu.
Tom Barnard poussa les trois filles à l'intérieur de l'atelier. La toile de la *Dame Blanche* se trouvait étalée sur la table.
— Ferme-la, lança Tom Barnard au jeune homme.
Il libéra Tracy et l'envoya valdinguer devant lui. Puis il attrapa David par le col.

— Alors, où est-il ?
— Je n'en sais rien, répondit ce dernier. Quelque part dans le lycée.
Il lança un regard désespéré à Holly.
— Dis-lui, Holly.
— Tu nous as dit que tu savais où il se trouvait, gronda Harry Owen. Tu as dit qu'il valait une fortune et que tu savais où il était caché. Si tu nous as menti...
— Il est ici, s'écria David, désespéré. Je ne sais pas précisément où, mais il est *ici*, quelque part dans le bâtiment.
Tom Barnard commença à resserrer sa prise sur David.
— Je vais te briser le cou, gronda-t-il, menaçant.
— Il dit la vérité, intervint Holly. Nous avons toutes les preuves que le tableau se trouve dans le lycée.
Elle décida de jouer le tout pour le tout et de gagner du temps. Belinda était encore libre. Si elle pouvait retenir les deux hommes pendant quelques minutes, son amie pourrait peut-être s'échapper et aller chercher de l'aide.
— Il est caché au sous-sol, dit-elle. Je vais vous montrer.
Tom Barnard regarda méchamment David :
— J'espère pour toi qu'il a autant de valeur que tu le prétends !
Puis, ses yeux se reportèrent sur Holly.
— Conduis-nous, ordonna-t-il.

Belinda se pencha et regarda dans le couloir. A la vue de Holly et des autres, elle se mordit les lèvres, se retenant de les appeler.
Elle avait réussi à se cacher juste au moment où les trois hommes étaient entrés dans l'atelier. Comme ils discutaient du tableau, cela ne lui avait pas pris longtemps pour deviner la raison de leur présence ici. David les avait amenés à l'école, dans l'espoir de retrouver la toile et de l'utiliser comme monnaie d'échange contre sa liberté et sa dette. Évident ! Ce qui l'était moins, en revanche, c'était ce qu'elle pouvait faire pour l'aider.
Elle avait découvert que toutes les portes étaient closes et

que toutes les fenêtres du rez-de-chaussée étaient hermétiquement verrouillées.

Comment allait-elle sortir de là ?

Du haut des marches, tout semblait tellement banal, tellement normal ! Dans combien de temps leurs parents commenceraient-ils à s'inquiéter, ne les voyant pas rentrer ? Cela pouvait prendre des heures ! Tout pouvait arriver d'ici là.

Elle essaya une fenêtre. Cette dernière bougea vaguement de quelques millimètres, puis s'ouvrit toute grande. Belinda se pencha à l'extérieur, mais il n'y avait personne en vue à qui elle pouvait demander de l'aide. Aucun moyen de transmettre un message au monde extérieur.

Il fallait qu'elle saute... cela faisait une sacrée hauteur, jusqu'au macadam. Elle regarda sur le côté et vit une grosse conduite d'eau qui courait le long du mur. Quelqu'un d'aussi mince et d'aussi actif que Tracy aurait pu descendre par là. Bref ! Elle n'avait pas le choix.

Belinda se pencha un peu plus et attrapa le tuyau.

Elle leva une jambe, en équilibre précaire sur le rebord de la fenêtre. Elle prit une profonde inspiration et se glissa sous la guillotine.

D'un seul coup, elle réalisa que son blouson s'était accroché entre les deux montants. Son visage se tordit de désespoir. Elle ne pouvait plus bouger.

Elle se tordit dans tous les sens, consciente du vide, en contrebas. Si elle forçait trop pour se libérer, elle risquait de tomber. D'un autre côté, si elle ne dégageait pas son blouson, elle resterait coincée.

Elle respira à fond, luttant contre le vertige qui menaçait de la submerger, puis recula vers l'intérieur.

Sa tentative d'évasion avait échoué !

Le visage grave et sévère de Winifred Bowen-Davies semblait surveiller le petit groupe.

Holly comptait sur le fait que les deux hommes ne connaissaient pas le lycée. Elle aurait pu les mener directement dans les sous-sols mais avait préféré leur faire prendre le chemin le plus long pour gagner de précieuses minutes.

Tom Barnard lui attrapa le bras et la pinça cruellement.

— A quoi tu joues, gamine? gronda-t-il. Est-ce que tu nous prends pour des idiots? Où nous emmènes-tu?

— Garde ton calme, dit Harry Owen. Nous pouvons récupérer ce que nous voulons sans avoir recours à la force.

Tom Barnard lui jeta un regard suspicieux.

— Elle nous fait tourner en rond, dit-il. Elle a besoin d'une bonne leçon.

— Pas de violence, reprit Harry Owen. Trouvons cette toile et tirons-nous d'ici.

Puis, il jeta un regard perçant à Holly et lui lança :

— Attention à ce que tu fais, petite. Conduis-nous simplement au tableau et nous ne te ferons pas de mal.

— Ne fais pas de promesse que tu ne pourras pas tenir, railla Tom Barnard. Je n'ai pas encore décidé du sort que je leur réserve.

Harry Owen le regarda, inquiet.

— Nous pourrons les attacher, dit-il. On ne les retrouvera pas avant demain matin. D'ici là, nous serons loin.

Tom Barnard grimaça.

— Je préfère ne pas laisser de témoins.

Les yeux de Harry Owen s'élargirent mais il ne dit mot.

— Laissez les filles tranquilles, intervint David. Vous pouvez faire ce que vous voulez de moi, mais ne touchez pas aux filles.

Tom Barnard se mit à ricaner :

— C'est trop tard pour jouer les héros. Toi, de toute façon, tu viens avec nous.

Puis il ajouta, avec un geste vers Harry Owen :

— Il est peut-être stupide au point de te croire à propos de ce tableau, mais moi, je ne te perds pas de vue jusqu'à ce que je sois sûr de sa valeur. Et s'il n'en a pas...

Le reste de sa menace sous-entendue resta figé dans l'air.

— Vous êtes certainement un type très courageux, dit Tracy. Vous devez vous sentir super fort de savoir que vous pouvez maîtriser un groupe de gamins.

— Tais-toi ! lança Samantha. Ne les excite pas. Donne-leur le tableau et qu'ils s'en aillent. Mais ne les provoque pas.

— Les provoquer ? dit Tracy en regardant Tom Barnard. Non, je ne ferais certainement pas cela. Pas à de braves petits gars comme eux.

Tom Barnard relâcha le bras de Holly et s'avança vers Tracy, l'œil mauvais.

— Laisse tomber, ordonna Harry Owen.

Il se tenait devant Holly, la transperçant du regard.

— Où est le tableau ? Vous jouez serré, avec nous. Si vous voulez sauver votre peau et celle de vos amis, vous feriez mieux de marcher avec nous.

Holly sentit ses jambes se dérober sous elle. Elle n'osait pas lui faire face. Elle voyait, derrière lui, le portrait de Winifred Bowen-Davies qui les regardait tristement.

Subitement, à travers sa peur, quelque chose dans la toile devint évident. Elle ouvrit la bouche, les yeux écarquillés.

Harry Owen, qui la regardait attentivement, se retourna vers le portrait.

— Quoi ? dit-il. C'est celui-ci ?

Il la tenait par les épaules et la secouait comme un prunier.

— Non, dit Holly. Mais j'ai résolu la dernière énigme.

Tous les yeux se tournèrent vers le grand tableau de Winifred Bowen-Davies. Holly se libéra de l'emprise de Harry Owen et s'avança vers la toile.

— Ainsi, il était ici, dit-elle. Il est resté là, pendant toutes ces années !

18

Le secret de la *Dame Blanche*

— La toile de la *Dame Blanche* se trouve là derrière, dit Holly, en montrant le portrait de Winifred Bowen-Davies.

Les yeux d'Owen s'étrécirent, tandis qu'ils allaient de Holly au tableau.

— Tu disais qu'elle était au sous-sol, dit-il.

Holly secoua la tête.

— J'avais tort. Il est là.

Tom Barnard poussa Tracy en avant.

— Descendez-le, dit-il. Et si vous mentez, vous allez le regretter amèrement.

— Je ne mens pas, dit Holly.

Elle regarda Tracy qui attendait, anxieuse.

— Aide-moi, lui dit-elle. Nous avons besoin de deux chaises.

Il y en avait des tas près du mur, vers le secrétariat. Holly et Tracy en traînèrent deux, y grimpèrent et décrochèrent le lourd portrait.

Doucement, elles redescendirent, supportant le poids du tableau entre elles.

Elles le posèrent, face contre le sol. Le dos du cadre était constitué d'une douzaine de coins en bois qui maintenaient la toile en place.

Elles s'accroupirent et entreprirent de tourner les coins.

— J'espère que tu sais ce que tu fais, souffla Tracy à son amie.

Holly ne répondit pas. Elle le souhaitait aussi.

Elles dégagèrent l'arrière. Là, entre le cadre et le dos du portrait de Winifred Bowen-Davies, était couchée une autre toile, plus petite.

Holly avança la main et commença à la tirer. Un morceau de ciel bleu apparut. Tracy l'aida à la retourner complètement.

Le visage triste de la Dame Blanche les regardait.

— Est-ce que c'est celui-ci ? demanda Owen.

— Oui, souffla David. Ce ne peut être que lui.

Ils étaient tous immobiles, fixant cette toile disparue depuis si longtemps.

— Roule-la, ordonna Tom Barnard.

Holly obtempéra.

— Maintenant, dit Owen en regardant son complice, attachons ces gamins et tirons-nous.

— Je n'ai pas trop confiance en eux, répondit Tom. Ils savent qui nous sommes. Je n'aime pas l'idée de les laisser derrière moi pour qu'ils aillent tout raconter à la police.

— Pas question de les emmener avec nous, reprit Harry Owen. Bon sang ! Tout était prévu. Si cette toile a autant de valeur que le garçon le dit, tout ce que nous avons à faire est de la remettre aux types dont je t'ai parlé. Nous serons loin d'ici demain matin. Laisse-les dire à la police ce qu'ils veulent. Ce sera trop tard, à ce moment-là.

Tom Barnard lança un regard méchant à Owen :

— C'est parce que je t'ai fait confiance auparavant que j'ai passé deux ans en prison.

Il dévisagea les trois filles.

— Cela ne nous prendra que quelques minutes de les faire taire pour toujours, ajouta-t-il.

— Tu passeras bien plus que deux ans en prison si tu fais une chose aussi stupide, dit Harry Owen. Nous pouvons nous arranger pour qu'on ne les retrouve pas avant un sacré bout de temps. On peut les enfermer quelque part.

Tom Barnard hocha la tête.

— D'accord, dit-il. Où ?

Harry Owen se tourna vers Holly.

— Conduis-nous au sous-sol.

Les trois filles furent poussées dans une pièce vide. Harry Owen trouva des cordes et Tom Barnard les ligota solidement par les poignets et les chevilles.

— Dites-vous bien que vous avez la chance de votre vie, leur annonça-t-il.

Puis il referma la porte, les abandonnant dans le noir.

— David ! cria Samantha.

La porte claqua.

— Tout ira bien, l'entendirent-elles répondre.

Les deux hommes l'entraînèrent.

Elles écoutèrent les pas s'éloigner dans le couloir.

— Est-ce que l'une de vous peut bouger ? demanda Tracy.

Elle tirait sur les liens de ses poignets, tentant vainement de les desserrer.

Personne ne daigna lui répondre. Tom Barnard avait bien fait son travail.

Un silence angoissant s'installa.

— Comment as-tu découvert que le tableau se trouvait là ? demanda Tracy.

Holly soupira.

— C'est devenu évident quand j'ai vu...

— Chut ! souffla Samantha. Écoutez.

Dans le silence revenu, elles entendirent des pas feutrés derrière la porte.

Elles retinrent leur souffle.

La porte s'ouvrit mais il faisait trop sombre pour qu'elles puissent voir quoi que ce soit. La soudaineté de la lumière les aveugla.

Belinda leur fit signe de rester tranquilles.

— Pas un mot, souffla-t-elle. Ils ne sont pas loin.

— Où étais-tu ? souffla Tracy.

— Je me suis cachée.

La jeune fille s'était accroupie et s'escrimait sur les nœuds des poignets de Holly.

— Ils ont la toile, murmura cette dernière. Et ils vont s'échapper.

— Impossible, fit Belinda.

Enfin, les nœuds cédèrent. Elle s'attaqua à ceux des chevilles.

Toutes deux délivrèrent ensuite leurs amies.

— Nous devons prévenir la police, dit Tracy. Ils ont un plan pour s'échapper. Owen dit qu'au petit matin ils seront déjà très loin.

— Cela m'étonnerait, dit encore Belinda. Allez, suivez-moi !

Elles se glissèrent dans le couloir, mais s'immobilisèrent en haut des escaliers. Elles entendaient un craquement bizarre.

Finalement, les quatre amies poursuivirent leur ascension dans le plus grand silence.

— Toutes les portes sont fermées, souffla Belinda. Ils doivent casser quelque chose s'ils veulent sortir.

En haut, Belinda jeta un rapide coup d'œil sur le palier.

Une fenêtre du fond était ouverte et Harry Owen s'apprêtait à passer par-dessus le rebord. A cet instant, David bondit sur Tom Barnard et le plaqua contre le mur, mais ce dernier lui envoya son pied dans la figure, ce qui l'envoya dinguer, par terre, tête la première. Harry Owen se retourna, à cheval sur le rebord.

— Gamin, gronda Tom Barnard, tu vas me le payer !

— Nous devons l'aider ! rugit Belinda.

Les quatre filles s'élancèrent, juste au moment où Tom Barnard s'agenouillait sur la poitrine de David, poing levé.

Belinda lui sauta dessus et lui retourna le bras, lui faisant perdre l'équilibre.

Tracy et Holly arrivèrent à la rescousse. Tracy s'élança et retomba de tout son poids sur la poitrine de l'escroc.

Ce dernier laissa échapper un cri de surprise et de douleur avant de s'écraser sur le sol.

Holly essayait de remettre David sur ses pieds, lorsque Harry Owen se dégagea de la fenêtre, une expression meurtrière sur le visage.

Brutalement, Tom Barnard envoya Tracy valdinguer dans les airs. Sa main saisit également la cheville de Belinda.

Celle-ci trébucha et tomba en avant, droit dans l'estomac de Harry Owen. Il ouvrit la bouche, le souffle coupé, et tenta de s'agripper à la jeune fille dans sa chute. Puis il bascula par la fenêtre et atterrit lourdement sur l'herbe. On entendit un bruit sourd.

Pendant ce temps, Tom Barnard se remettait debout, menaçant. Les filles reculèrent, effrayées.

Soudain, des hurlements de sirènes retentirent.

Belinda se pencha par la fenêtre.

— Par ici ! Par ici ! cria-t-elle.

Tom Barnard pivota, apercevant les policiers qui accouraient.

David s'élança et l'attrapa par surprise. Mais il était trop léger pour retenir une telle armoire à glace. Un coup de coude fusa et le jeune homme relâcha sa prise, grimaçant de douleur.

Couchée par terre, Tracy lança un pied en avant, atteignant Tom Barnard au menton, tandis que Holly et Samantha le poussaient vers la fenêtre.

Il tomba sur le rebord. Belinda lui referma la guillotine sur le dos.

Des bras costauds l'attrapèrent de l'extérieur. Ses pieds s'agitèrent en l'air un moment tandis que les policiers le tiraient à eux. Il se retrouva face contre terre.

— Allons-y ! s'écria Tracy.

Relevant la guillotine, elle enjamba le rebord de la fenêtre et sauta sur l'herbe.

Quatre policiers tenaient fermement Tom Barnard et deux autres, Harry Owen.

David et les trois filles sautèrent à leur tour dans le jardin, tandis que les policiers relevaient les deux malfaiteurs.

— Laquelle d'entre vous est Belinda Hayes ? demanda un officier. La fille qui a téléphoné ?

— C'est moi, dit-elle, très fière.

Elle regarda ses amies.

— Je me suis souvenue qu'il y avait un téléphone dans l'infirmerie. J'ai appelé de là pendant que vous les occupiez.

Elle sourit au policier.

— Je suis heureuse que vous soyez venus aussi vite, ajouta-t-elle.

— Nous avons fait de notre mieux.

Il dévisagea les quatre jeunes filles.
— Est-ce que quelqu'un est blessé ?
— Non, répondit Holly. Nous allons bien.
Puis elle se tourna vers David, dont la lèvre fendue enflait à vue d'œil.
— N'est-ce pas ? lui demanda-t-elle.
Il hocha la tête.
— Oui, dit-il. Nous allons tous bien. Merci, Belinda.
— Et moi, dit Tracy. Vous avez vu le crochet du pied que je lui ai envoyé ?
— Je crois que je me suis tordu la cheville quand il me l'a attrapée, dit Belinda, sautillant douloureusement.
Holly ramassa le rouleau de toile qui était tombé des mains de Harry Owen lorsqu'il avait chu par la fenêtre.
— Alors ? dit le policier. Que s'est-il passé là-dedans ?

Après toutes ces émotions, le réveil fut un peu difficile, le lendemain matin.
Le portrait de Winifred Bowen-Davies avait été remis à sa place sur le mur et Holly, le point de mire pour le moment, se tenait juste en dessous.
Mlle Horswell était également là, ainsi que M. Barnard, Samantha, Belinda et Tracy.
— Toutes les pièces du puzzle se sont mises en place d'un seul coup, hier soir, dit la jeune fille en regardant ses deux amies. Vous souvenez-vous que je vous avais dit avoir déjà vu cette broche en forme de pie ?
Elle montra le tableau. Le corsage de la robe de Winifred Bowen-Davies était orné d'une broche en forme d'oiseau.
— La broche était là tout le temps, dit Holly. Mais la toile est tellement sombre que je l'ai difficilement reconnue. C'est exactement la même que celle que Roderick a peinte sur sa version de la *Dame Blanche*. Samantha m'avait dit que la broche de sa grand-mère avait un pendant. Cela collait donc avec les autres indices : le plan était celui du lycée, Belinda l'avait découvert ; les mots sur la maison d'été étaient : *Pour me trouver, regardez derrière moi*. Ils ne voulaient pas dire de regarder dans la maison d'été mais derrière la peinture qui

avait la broche. La Dame Blanche avait donné à Hugo l'une d'elles lorsqu'elle avait quitté l'abbaye. Mais elle avait gardé l'autre.

Holly sourit et marqua une pause. Elle se saisit de la toile et tint la *Dame Blanche* devant elle.

— Et cela prouve aussi autre chose, poursuivit-elle. Le voyez-vous ?

Tous se penchèrent sur la peinture.

— Dieu du ciel ! s'exclama Mlle Horswell, la main sur la bouche.

— Ce sont les yeux, reprit Holly. Les mêmes yeux tristes.

— Ainsi, Winifred Bowen-Davies était la Dame Blanche, souffla M. Barnard.

— C'est exact. Elle devait être très jeune lorsque Hugo avait peint son portrait, intitulé *Dame Blanche*.

— Et elle avait près de quatre-vingts ans lorsqu'elle a posé pour celui-ci, dit Mlle Horswell. Le visage est très différent, si vous regardez attentivement. Mais vous avez raison, Holly, c'est la même femme. Les deux toiles représentent Winifred Bowen-Davies.

— Alors après avoir quitté l'abbaye de Woodfree, dit M. Barnard, elle a créé cette école. C'est pourquoi Hugo Bastable l'a dotée d'un tableau d'une telle valeur. Après l'avoir volé, Roderick a dû le cacher ici, attendant que la police ait fini de fouiller l'abbaye pour revenir le chercher. Mais il fut emprisonné.

— Vous avez merveilleusement bien travaillé, dit Mlle Horswell. Vous ne réalisez pas ce que cela signifie pour nous, les filles. J'ai déjà parlé aux administrateurs. Nous avons décidé de vendre le tableau et, avec l'argent que nous obtiendrons, nous pourrons enfin faire construire notre gymnase.

— Une nouvelle salle de gymnastique ? s'écria Belinda. On ne pourrait pas prévoir quelque chose de plus utile ? Comme une nouvelle cantine ? Tous mes efforts seraient alors *vraiment* récompensés.

Tout le monde éclata de rire.

Belinda les regarda, vexée.

— Ou des écuries ? suggéra-t-elle. Nous pourrions acheter des chevaux et... je ne vois pas ce qu'il y a de si drôle.

Elle se retourna et, avec toute la dignité dont elle était capable, boitilla vers l'une des chaises et s'y installa.

— Bon, murmura-t-elle. Au moins, les autres sont contents. Après tout ce que j'ai enduré... non seulement je suis passée à travers un plafond pourri, mais j'ai aussi été kidnappée dans un ballon, j'ai risqué ma vie en passant par une fenêtre, j'ai téléphoné à la police et, pour couronner le tout, un maniaque m'a presque arraché le pied. Et vous croyez que j'aurais été récompensée à ma juste valeur ?

— Je vais voir ce que je vais pouvoir faire pour vous, dit Mlle Horswell. En attendant, je pense qu'il est temps pour chacun de retourner à ses devoirs et à ses leçons.

Elle sourit à Holly.

— J'espère que vous allez écrire un article pour le magazine du lycée, Holly.

— Mais certainement, mademoiselle.

La directrice retourna à son bureau.

M. Barnard contemplait, pensif, le portrait de Winifred Bowen-Davies.

— Que va-t-il arriver à votre frère ? demanda Tracy.

Le professeur secoua la tête.

— Il va retourner en prison. Ainsi que Harry Owen, dit-il en souriant à Samantha. Au moins, votre ami David n'aura plus rien à redouter. De plus, vous m'avez appris quelque chose. J'aurais dû m'occuper de Tom dès qu'il est arrivé en ville. Si je n'avais pas autant craint pour ma réputation, vous n'auriez pas encouru tous ces dangers.

— Ce n'était pas votre faute, dit Holly. Vous ne saviez pas ce qu'il mijotait.

M. Barnard soupira.

— J'aurais dû le deviner. Tom a toujours été un peu fou. Maintenant, il va payer pour ses bêtises.

Elles le regardèrent s'éloigner.

— J'ai encore une petite chose à faire, dit Holly. Je vous retrouverai tout à l'heure.

Elle fila à la bibliothèque.

Steffie Smith était assise à son bureau, le menton dans les mains, et fixait vaguement l'écran de son ordinateur.

— J'ai écrit quelque chose pour le magazine, dit Holly.

Steffie leva les yeux.

— Ah, oui ! Je suppose que c'est vingt pages qui décrivent comment tu as découvert le tableau volé, c'est cela ?

— Non, dit Holly. Pas vingt pages.

Elle posa une simple feuille de papier sur la table.

— Je crois que tu vas l'aimer.

Steffie y jeta un coup d'œil.

— Nous verrons.

— Mlle Horswell a dit que tu devais l'imprimer, insista Holly.

— Je sais. Elle m'a prévenue. Et de plus, je suis censée l'imprimer dans les termes exacts où tu l'as écrit.

Elle saisit la feuille de papier et la déposa dans une corbeille.

— Ne t'inquiète pas. Je n'en changerai pas un mot... même si je ne l'aime pas.

Avec un sourire satisfait, Holly tourna les talons.

Tracy et Belinda l'attendaient dans le hall. Kurt s'y trouvait également avec ses appareils photo.

— J'ai pensé que vous aimeriez une photographie de groupe, dit-il. C'est pour l'*Express*. Vous allez être célèbres.

— Qu'est-ce que je vous avais dit ? fit Tracy. On va faire les gros titres des nouvelles : Des étudiantes détectives amateurs découvrent un ancien tableau volé !

Holly sourit. C'était comme si leurs rêves les plus fous étaient en train de se réaliser.

Elles posèrent sous le portrait de Winifred Bowen-Davies.

Une fois Kurt parti, elles regardèrent longuement la fondatrice de leur école.

— Je viens juste de donner mon article à Steffie, dit Holly, et elle n'est pas ravie du tout.

— Sans nous le soumettre d'abord ? s'écria Tracy. J'espère que tu as mentionné ma participation dans ses moindres détails.

— Tout ce que *tu* as fait ? dit Belinda. Ça, c'est la meilleure ! Qui a empêché ces escrocs de filer avec le tableau de la *Dame Blanche*, en fin de compte ?

— Attendez une minute, dit Holly. Qui est-ce qui a résolu la dernière énigme ? On ne l'aurait jamais trouvée sans moi.

— Si je n'avais pas continué à chercher alors que vous aviez abandonné, nous ne serions même pas allées dans les bâtiments du lycée, reprit Tracy.

— Mais c'est moi qui ai deviné la première que la toile se trouvait dans le lycée, reprit Belinda. Je devrais être décorée.

Elle regarda Holly.

— Alors ? demanda-t-elle. Tu as mis quoi, dans ton article ?

Holly sourit.

— Que c'est le Mystery Club qui a résolu l'énigme.

Ses deux amies la regardèrent, puis éclatèrent de rire.

— Quelqu'un est-il tenté par une crème glacée en guise de déjeuner ? lança Belinda. Pour célébrer notre premier succès.

— Notre premier vrai mystère, dit Holly, souriante. Et cela ne fait que commencer... Quel va être le prochain ?

Composition Euronumérique
Achevé d'imprimer en Europe (Allemagne)
par Elsnerdruck à Berlin
le 15 septembre 1997
Dépôt légal septembre 1997 ISBN 2-290-04523-3
1er dépôt légal dans la collection : mars 1997

Éditions J'ai lu
84, rue de Grenelle, 75007 Paris
Diffusion France et étranger : Flammarion